D0192913

WITSE

Uitgeverij Houtekiet, Vrijheidstraat 33, B-2000 Antwerpen
www.houtekiet.com
info@houtekiet.com

Omslag Peter De Greef
Foto's omslag Bert Hulsemans
Zetwerk Intertext, Antwerpen

ISBN 90 5240 797 5
D 2004 4765 59
NUR 330

Barbara Hofmann

Witse

Naar een scenario van
Ward Hulselmans

Houtekiet
Antwerpen/Amsterdam

1

De Sijsjeslaan was een rustige, residentiële straat net buiten de dorpskern van Halle. Ze bestond uit net eendere burgerhuizen met elk een verzorgde tuin. Nu ja: met uitzondering van één dan. De tuin van nummer 19 was de andere bewoners een doorn in het oog. Hij was overwoekerd door distels, brandnetels en lange grassen. Het huis zelf zag er heel gewoon uit, maar de ramen waren vies, de luiken hingen scheef in hun hengsels en wie erin slaagde om door de smoezelige ramen toch een blik naar binnen te werpen, zag zoveel rommel in de woonkamer dat je dacht: blij dat *ik* die niet moet opruimen.

De bewoner van dit pand leefde nogal teruggetrokken. Hij schermde zich af, tot ongenoegen van zijn buren, die allen actief waren in wijkcomités en buurtverenigingen en bij elkaar de deur platliepen. Hij kwam uit Brussel, dat wist men. Hij woonde nog niet lang in de straat, dat hadden ze kunnen zien. Lang was dat het enige wat er van de nieuwe buur geweten was. Het was maar na veel moeite dat men had ontdekt dat de zonderlinge, teruggetrokken man voor de politie werkte. Die job slorpte hem blijkbaar helemaal op want hij kwam pas laat thuis en bezoek kreeg hij nauwelijks.

Maar vanavond was het anders. Er was een bescheiden feestje gaande in zijn huis. Er hingen lampjes in de tuin en wie dicht genoeg kwam, kon gedempt jazz horen. Boven de deur hing een spandoek met 'GELUKKIGE VERJAARDAG WITSE'.

'We wachten nog even. Laat hem maar van zijn verjaardag genieten. Hij gaat het nog moeilijk genoeg krijgen.'

Aan de overkant van de straat stond een zwarte BMW. Daarin zaten twee mannen. De ene was rond de vijftig, de andere in de dertig. Ze zaten er al een uur. Ze hielden het huis in de gaten.

'Observeer,' zei de oudste. 'Dat is iets dat wij gemeen hebben met de flikken. Observatie en mensenkennis. En zin voor details. Niet direct handelen: elk detail in je opnemen, je targets observeren, ze beter begrijpen dan ze zichzelf begrijpen, en dàn pas toeslaan. Kijk hem daar.'

De man wees naar de oudere heer die in het deurgat was komen staan. Het was de jarige heer des huizes, een mollige man van rond de vijftig met een vriendelijk gezicht en dik grijs haar, dat golvend achteruit gekamd was. Hij droeg een geruit hemd waarvan de bovenste knoopjes los waren. Hij ging op de stoep zitten. Waarschijnlijk blies hij even uit van de drukte. In zijn linkerhand hield hij een glas rum cola. Zijn rechterhand haalde een envelop tevoorschijn uit zijn zak.

'Hij leest zijn brief niet, zie je?' zei de man in de auto. 'Hij heeft hem gewoon vast. Alsof hij, door die brief niet te lezen, kan ontkennen wat er in staat. "Dat is geen brief, nee-hee, ik hou gewoon een papiertje in mijn hand. Dom papiertje. Niets mee aan de hand." Waarom laat hij het dan niet vallen? Omdat hij on-be-wust wel weet dat het belangrijk is, zie je? Mensenkennis jongen, dat is waarmee wij ze kunnen verslaan!'

'Mm,' zei de jongere man naast hem.

‘Wat nou “mm”? Ik leer je wat, en jij zegt “mm”.’

‘”Mm” betekent: “Ik ben zeer geboeid.”’

‘Zo klonk het anders niet. Het klonk als: “Lul maar op.”’

‘Dat is “mm”.’ De jongere man zei ‘mm’ met een lul-maar-op-intonatie. ‘De “mm” die betekent “ik ben zeer geboeid” is “mm”.’

‘Als *ik* geboeid ben, dan klinkt het als “mmmmm”.’

‘Je klinkt alsof je gepijpt wordt.’

Witse zette zijn glas neer en liet zijn hoofd hangen. Hij zuchtte. Het was zijn verjaardagsfeest, maar amuseren deed hij zich niet. Het was ontzettend aardig geweest van zijn buren om hem te verrassen. En misschien, als hij die ochtend de brief niet had gekregen, dat hij zijn gedachten had kunnen verzetten. Nu was hij stilletjes weggeglipt. De avondlucht deed hem goed. Hij had de brief opgediept, maar opende hem niet. Niet nodig: na tientallen keren herlezen, kende hij hem vanbuiten.

Beste Witse,

Je zal nog wel een officiële brief krijgen, maar dat is zo onpersoonlijk en ik weet dat je daar een hekel aan hebt. Onze scheiding komt de 26ste voor op de rechtbank. Dat wordt moeilijk voor ons allebei, maar zorg alsjeblief dat je er bent. Ik wil dat we als vrienden uit elkaar kunnen gaan. Ik hoop dat je daar in Halle gelukkiger bent dan je hier was.

Doris.

PS. Gelukkige verjaardag.

Witse verbeet de tranen. Een jaar verdomme – het was een jaar geleden dat Doris en hij uit elkaar gegaan waren en nog kon één stomme brief van haar zijn hele week overhoop halen. Zolang hij met haar getrouwd was geweest, had zijn werk hem opgeslorpt. Hij was in de val getrapt van zovele getrouwde mannen: tevreden met zijn gezinsleven, had hij zijn energie verlegd naar andere terreinen. Te laat had hij gemerkt dat Doris meer van hem verwachtte dan een kus bij het ontbijt en een telefoontje dat hij later zou werken. Maar zeg eens, als je politie-inspecteur bent, hoe kun je dat vermijden? De misdaad slaapt niet. Slachtoffers eisen dat daders snel gepakt worden. Hoe kun je dan om vijf uur thuis zijn en in het weekend uitstapjes doen?

Witse had nooit verwacht dat de breuk hem zo zou pakken. Hij was een kalme, laconieke man, die in zijn carrière al veel gezien had. Passionele moorden, mannen die tot het uiterste waren gedreven door liefdesverdriet... Hij had die grote emoties nooit begrepen. Tot hij er zelf mee geconfronteerd werd. Hij was geschrokken van zijn eigen reactie. Nu begreep hij de felheid van de emoties, en wat ze je konden laten doen. Al zou hij ze nooit tonen. Daar was hij te fier voor. Alleen hier, op zijn stoep, als niemand hem zag...

'Witse, wat zit gij hier zo triestig alleen? Het is uw verjaardag! Maakt dat ge binnen zijt, anders drinken wij alles op!'

Witse sprong op. Voor hem stond Annie, zijn overbuurvrouw, een kwieke dame van eind in de zeventig die hem op haar manier had opgevangen sinds hij hier woonde. Een beetje bemoeizuchtig, een roddelkous als iedereen hier, maar een goed hart.

'Hier.' Annie hield drie flessen omhoog. Ze wankelde

een beetje. 'Deze kriek is tenminste echt. Ambachtelijk gemaakt, met echte Schaarbeekse krieken. Da's nogal wat anders dan uw chemique.'

'Drink er maar niet te veel meer van,' monkelde Witse en liep samen met haar weer naar binnen.

In de woonkamer heerste een gezellige drukte. Naast Annie had hij zijn buurman Walter en zijn collega Dimitri Tersago te gast. Walter was een volkse kerel die voorzitter was van het wijkcomité, Dimitri een knappe, gespierde jonge kerel met een modieus machoringbaardje. Toen Annie binnenkwam met het bier, juichte iedereen. Annie zette de flessen neer en begon te dansen in het midden van de kamer.

'Is er dan niemand die een dansje met mij wil doen?' giechelde ze.

'Annie, zoudt gij niet beter water drinken?' lachte Walter.

'Water is voor de vissen! Zal ik jullie eens vertellen van waar de naam Lambiek komt, van de Kriek Lambiek? Die komt van Lembeek!'

'Dat heb je al drie keer verteld,' riep iedereen in koor.

'Het is al goed. Kom, dan ga ik met deze schone jongen een partijtje op uw biljart spelen.' En Annie nam Dimi bij de arm en trok hem mee naar de biljarttafel. Dimitri sputterde lachend tegen.

Op dat moment ging de gsm van Witse. Nog nalachend wandelde hij naar de eetkamer om rustig te kunnen praten.

Toen hij de stem herkende, verstrakte zijn gezicht.

'Albain. Dat is lang geleden,' zei hij koel.

'Ha, je kent me toch nog,' grinnikte de stem aan de andere kant van de lijn. Hij had een geforceerd joviale manier van spreken en probeerde kameraadschappelijk te klinken, vrienden-onder-elkaar, al was het duidelijk dat hij zenuwachtig was.

'Gefeliciteerd met je bevordering. Ja, met mij is alles prima. Ha-ha-ha.'

Ik heb niet gevraagd hoe het met je ging, dacht Witse.

'Zeg, ik zou je dringend moeten zien.'

'Mm,' zei Witse.

'Wat bedoel je met "mm"?'

'Mm betekent: je weet dat dat niet mag.'

'Komaan Witse! Wie zal dat nu te weten komen? Ik ga het niet aan de grote klok hangen hoor.'

Witse aarzelde.

'Het is belangrijk, Witse!' zei de man. 'Je bent me wel iets verschuldigd, vind je niet?'

'Op dit moment is het moeilijk,' zei Witse.

'Maar nee, natuurlijk nu niet! Ik bel vanuit Brussel. Ik heb een mooie zaak voor je. Ben je daar nog altijd in geïnteresseerd, in mooie zaken?'

'Misschien. Vertel eerst maar eens. Als het de moeite is, dan kunnen we afspreken.'

'Een roofmoord.'

'Waar?'

'In Bogaarden. Het dossier ligt bij je collega's.'

'En die is niet opgelost?'

'Daar bel ik net voor! De dader heeft me de buit laten zien. Hou je vast: een volledig zilveren bestek van Christoffel. 25.000 euro waard. Hij vroeg of ik het wou kopen...'

'Mm,' zei Witse.

Informanten geef je best niet het gevoel dat je hun tips belangrijk vond, anders dachten ze dat ze onmisbaar voor je waren. Maar nu was Witses antwoord niet ingegeven door berekening. Zijn aandacht werd getrokken door commotie in de huiskamer. Hij hoorde Dimi en Walter roepen: 'Annie! Annie, hoor je mij?'

'Blijf aan de lijn,' zei hij in de hoorn. 'Er is hier...'

Zonder zijn zin af te maken rende hij naar de huiskamer. Daar lag Annie, krijtwit tegen de biljarttafel. Dimi en Walter legden haar heel zachtjes op de grond. 'Leg haar benen hoger,' zei Walter. 'Och God laat het geen hartaanval zijn.'

Dimi voelde aan haar pols. 'Die polsslag is veel te zwak,' zei hij.

'Annie hoor je mij?' riep Witse.

'Dat komt ervan, op die leeftijd zoveel drinken!' jammerde Walter.

'Ik bel een ambulance,' zei Witse. 'Nondedomme Annie!'

'Bel me straks terug,' snauwde hij in zijn gsm en klikte de lijn uit. Onmiddellijk vormde hij het noodnummer.

Wat een afschuwelijke verjaardag. Alsof de brief van Doris hem nog niet genoeg overstuur had gemaakt, zag hij nu zijn enige vriendin in de buurt op een brancard afgevoerd worden. Annie bewoog niet toen de ambulanciers haar de ziekenwagen in droegen. Witse wist niet of dat een slecht teken was. Hij had in zijn carrière al veel dode en stervende mensen gezien, maar dat was nooit door een hartaanval.

Witse zat op zijn biljarttafel. Dimitri zat naast hem. Hoewel hij maar half zo oud was als Witse, waren de twee erg close. Als Witse de vergelijking niet zo haatte, hij zou spreken over de zoon die hij nooit had gehad.

'Verdomme Annie, waarom lapt ze me dat nu?' zuchtte hij.

'Het zal wel meevallen,' zei Dimi.

'Je hebt toch gezien hoe wit ze zag? Ze had geen adem meer!'

'Dat is jouw fout niet hé. Het was jouw feestje, dat is alles.'

'Ik had haar nooit zoveel mogen laten drinken. Als zij mij ook nog in de steek laat, dan ben ik hier weg.'

Zijn gsm rinkelde opnieuw. Verdwaasd nam Witse op.

'O, Albain, jij bent het... Ja, afspreken. Een ogenblik.'

Witse liet zich van de biljarttafel afglijden en wandelde weg, naar de keuken. Dimitri keek hem verrast na. Waarom mocht hij niet horen wat Witse te zeggen had?

2

Commissaris Witse werkte nu bijna een jaar voor de Moordbrigade van de Federale Politie van Halle. Hoe hij hier was beland, daar dacht hij liever niet meer aan. Tot een jaar geleden woonde hij in Brussel, waar hij hoofdinspecteur was geweest. Hij was erachter gekomen dat zijn vrouw Doris een relatie had met zijn chef, hoofdcommissaris Paul Keysers. De manier waarop hij dat ontdekt had, was nogal turbulent geweest: hij had hen al zoenend en strelend, bijna vrijend betrapt in een Brussels park. Na die ontdekking was het, zacht gezegd, lastig om nog op een collegiale manier met Keysers samen te werken. Keysers had, hoe zou hij het stellen?, de grenzen van de collegialiteit iets te gretig afgetast. Als beloning omdat hij zich zo knap had laten bedriegen, had Witse een overplaatsing en een promotie tot commissaris gekregen.

De dag na zijn feestje stapte Witse met hoofdpijn zijn deur uit. Het begon te wennen, maar hij moest zichzelf nog altijd dwingen om de charme te zien van een huis in een dorp. Hij was een stadsmens die de drukte en anonimiteit van Brussel gewend was. Er zijn mensen die anonimiteit vernederend vinden, maar Witse haalde er net zijn waardigheid uit. Zeker nu zijn leven een chaos was, hield hij andere mensen liefst op een afstand. Onbegonnen werk in Halle, waar buren zo nauw met elkaar samenleefden dat Witse zich vaak afvroeg waarom ze niet gewoon bij elkaar introkken. *Alles* wilden ze van elkaar weten!

Hij startte zijn Toyota en reed naar het commissariaat. Het waren geen kwade mensen. Misschien lag het aan hem... Natuurlijk lag het aan hem... Maar hij was wie hij was en hij was te oud om dat nog te veranderen.

Hij parkeerde de Toyota op de parking van het commissariaat. Lang zou hij niet blijven; hij had die middag afspraak met Albain Dictus, de informant die hem gisteren de tip over het gestolen zilverwerk aan de hand had gedaan. Normaal gezien moest hij dat rapporteren aan hoofdcommissaris Ilse Vandecasteele, maar hij handelde het zaakje liefst alleen af. Voorlopig toch – als het echt wat was, dan zou hij wel de officiële kanalen volgen. Hij vertrouwde Dictus niet meer. Een groot deel van zijn huidige ellende was aan hem te wijten. Bovendien kon hij in de problemen komen, als men wist dat hij Dictus weer ontmoette. Hij hoorde ze al zeuren: 'Heb je je les dan niet geleerd? We hadden een afspraak, Witse. Je zou die man nooit meer spreken,' en blablabla. Hij wilde dat alleen maar ondergaan als er een goede reden voor was.

Toen Witse uitstapte, zag hij Romain Van Deun vanuit zijn kantoor naar hem kijken. Witse zwaaide; Van Deun zwaaide niet terug. Witse schudde zijn hoofd. Had er iemand ooit zo'n zeikerd gezien als Van Deun? De man was vreselijk! Nauwgezet tot in het extreme, een fantasieloze regelneef, nurks, heimelijk, wantrouwig op het paranoïde af, militaristisch en suf – enfin, een rijkswachter van de oude stempel zoals je er nog zelden tegenkwam. Hij was bij de Moordsectie terechtgekomen vanwege zijn 'sterk oog voor details'. Pietluttigheid, zo noemde Witse dat, al moest hij toegeven dat van Deuns opmerkingszin al zaken opgelost had. Nu, waarschijnlijk had Witse zich niet zo aan hem geërgerd als Van Deun niet zoveel problemen met hém had... Van Deun leek er wel op gebrand om Witse het leven zuur te maken. Alles wat hij niet volgens het boekje deed, ging Van Deun rapporteren bij de hoofdcommissaris. Om gek van te worden!

Witse wandelde het kantoor binnen en groette Rita van de balie. Hij knikte ook vriendelijk naar Rudy Dams, de slappe maar vriendelijke partner van Van Deun. Dams knikte verward terug.

Dimitri stond hem al op te wachten.

'Annies toestand is gestabiliseerd,' zei hij. 'Ik heb net met het ziekenhuis gebeld.'

Witse knikte. Hij liet niet blijken dat het hem trof dat Dimitri wél al naar Annies toestand had geïnformeerd. Die jongen is te goed, dacht hij wrang. Hoe komt het dat sommige mensen goed zijn alsof dat het normaalste van de wereld is, hoe slagen ze erin om op het juiste moment de juiste geste te doen, een kleine attentie, een telefoontje, te laten zien dat ze aan hun naasten denken... Waarom kon hij dat niet?

'Ik ga... Ik ga straks wel even bij haar langs.'

'Dat zal ze leuk vinden,' zei Dimi.

Witse knikte. Dimi glimlachte en maakte een uitnodigend gebaar: zullen we maar aan ons werk beginnen? Witse mompelde wat. 'Ik kom direct Dimitri. Ik moet even... Nu ja, ik moet even iets regelen.'

Van Deun mocht een nurk zijn, vandaag had Witse hem nodig. Hij moest zich voorbereiden op zijn ontmoeting met Albain die middag, en daarvoor moest hij alles over die roofmoord te weten komen. Ze was gepleegd net voor hij naar Halle kwam. Dat betekende dat Van Deun toen de hoogste in rang was, en hem de meeste informatie kon bezorgen.

'Van Deun, heb je een minuutje?'

Van Deun keek wantrouwig op.

'Ik denk dat ik je kan helpen met iets,' zei Witse.

'Ik heb zo al genoeg miserie.'

'Serieus, ik meen het. Er is vorig jaar een roofmoord gepleegd in Bogaarden. Op een zekere meneer Fonteyne. Heb jij dat onderzoek gedaan?'

'Dat dossier zit bij mij, ja.' Van Deun klonk nog steeds argwanend.

'Maar je hebt nog geen verdachte?'

Van Deun keek Witse koel aan. Hij streek over zijn snor.

'Ik heb iemand die zegt dat hij de dader kan aanwijzen.'

'Waarom pak je hem dan niet?'

'Ik ken die zaak niet.'

'Ah, dus ik moet jou helpen!'

Witse maakte een toegeeflijk gebaar: het is zoals je wil... Van Deun zuchtte en stond op. Hij wandelde naar de kast waar hij zijn dossiers bijhield en haalde er een map uit.

'Komt die tip van iemand die ik ken?' vroeg hij.

'Nee, van een informant uit Brussel.'

'Geregistreerd?'

Witse rolde met zijn ogen en knikte. 'Ik heb deze middag met hem afgesproken. Alleen. Ik wou weten waar het dossier over ging.'

Witse stak zijn hand uit naar het dossier, maar van Deun drukte de map met beide armen tegen zijn borst. 'Het is mijn dossier, Witse,' zei hij. 'Ik wil het voor je openen, maar op twee voorwaarden. Ik ga mee, en voorlopig blijft alles tussen ons. Geen bazen.'

'Ben je van tactiek veranderd?' vroeg Witse spottend.

'Nee, maar voor ik de baas inlicht wil ik zeker zijn dat ik niet op mijn bek ga door jou.'

Witse had noodgedwongen ingestemd, en nu zaten hij en Van Deun gebogen over een reeks kleurenfoto's, genomen na de moord. De meeste toonden een luxueuze woonkamer, waar op een mooie lederen sofa het lijk lag van een man. Zijn naam was Florimond – Flor – Fonteyne, bij zijn dood 53 jaar. Hij woonde in een poepsjieke villa, die volgestouwd lag met dure spullen. De moordenaars waren aan de haal gegaan met zilverwerk ter waarde van 25.000 euro.

'Hij was met zijn vrouw naar een trouwfeest. Daar realiseert hij zich dat hij een ander kostuum moet aantrekken, rijdt terug naar huis en betrapt de dieven op heterdaad.'

'Slag op het achterhoofd, niet dodelijk,' mompelde Witse. 'Daarna tegen de punt van de tafel gevallen, wel dodelijk...' Hij bekeek de inventaris van het gestolen zilver. Mokkalepeltjes, kreeftencouverts, oestervorken... 'Sjiek volk,' concludeerde hij.

'Mijn oor! Die Fonteyne was gewoon loodgieter. Hier, dit is zijn levensgeschiedenis.'

Van Deun gaf Witse de levensbeschijving van Fonteyne. De man had zijn hele leven moeten krabben om zijn gezin te onderhouden. Hij werkte met één loodgietersgast, en zelfs die kon hij amper betalen. Tot hij zijn uitvinding deed: een nieuw soort waterfilters, die regenwater zuiverden. Hij was er zelfs mee in de krant gekomen. Hij verkocht zijn uitvinding aan een groot bedrijf en op slag was hij miljonair.

'Was er iemand die er uitsprong als mogelijke verdachte?' vroeg Witse.

Van Deun haalde zijn schouders op. 'Het kan iedereen zijn. Het hele dorp wist dat de Fonteynes schatrijk waren. De dieven zijn binnengeraakt met een simpele schroevendraaier. Dat geloof je toch niet: die man is multimiljonair, maar een alarminstallatie vinden ze te duur!'

Witse humde. Hij raapte de foto's en de papieren bij elkaar en stak ze weer in de map. Van Deun nam de map over en herschikte enkele foto's en papieren, zodat ze op de hen toegewezen plaatsen zaten.

'En je hebt die informant al een jaar niet meer gehoord?' vroeg hij. 'Dat is riskant.'

'Je moet niet mee, als je het niet vertrouwt,' zei Witse.

Van Deun fronste boos de wenkbrauwen. 'Waar heb je afgesproken?'

3

Het landschap van het Pajottenland is heerlijk rustgevend, zeker voor wie met zichzelf in de knoop ligt. Witse keek genietend naar de zacht glooiende groene heuvels, waar onverwacht een boerderij of een kerktoren tussen verscheen. Hij was op weg naar café De Pajot in Gaasbeek, waar hij Albain Dictus zou ontmoeten.

Van Deun reed nors in zijn eigen wagen achter hem aan. Hij maakte zich ongetwijfeld zorgen over of de hoofdcommissaris zou merken dat hij weg was zonder zijn bestemming op te geven, en welke straf hij kon verwachten door met Witse in zee te gaan.

Na amper een kwartiertje rijden parkeerden ze beiden op de parking voor de kerk en liepen naar het vlakbijgelegen De Pajot, een typisch Vlaamse dorpse herberg met veel hout en bakstenen, waar de plaatselijke ouderen de dag doorbrachten met kaarten en Kriekbier drinken, de trots van de streek.

Albain Dictus kwam stipt het café binnen. Hij mankte een beetje, maar voor de rest was hij geen haar veranderd, stelde Witse vast. Dictus zag eruit als een pooier – anders kon Witse het niet omschrijven. Hij had een smal zwart snorretje, gekleurd zwart haar dat met veel gel naar achteren was gekamd en dat vochtig krulde in de nek. Hij droeg een bruine leren jas, een zijden broek en Italiaanse lakschoenen met een hak. Witte sokken, uiteraard.

Witse kende Dictus al lang. Het was een opschepper die op de kosten leefde van zijn vriendin, Jeannine, een schat van een vrouw met een eigen nagelverzorgingsstudio. Daarnaast deed hij in vastgoed, en was hij occasioneel politie-informant. Witse had in Brussel vaak met hem samengewerkt. Dankzij hem had hij enkele ophefmakende zaken opgelost. Alleen was de laatste iets té ophefmakend geweest...

'Witse maat!' lachte Dictus. Hij wandelde op Witse af en sloeg hem op de schouder. 'Gij zijt ne straffe gast hé. Onze Witse, dat is ne straffe gast.' Witse grimaste. Van Deun rolde met de ogen.

'Je ziet er beter uit dan vorig jaar,' lachte Dictus.

'Slechter kan moeilijk anders,' gaf Witse toe.

'Je ziet dat de buitenlucht je goed doet! En nu je het vraagt: met mij gaat het ook goed. Fan-tas-tisch zelfs. Ik heb een formidabele business op het oog. Als ik die binnenhaal, dan moet ik van de rest van mijn leven niet meer werken.'

'Dat zegt hij al tien jaar,' lachte Witse naar Van Deun, die met moeite één mondhoek optrok.

'Verkoop je nog krotten?'

'Absoluut.' Hij maakte een breed gebaar, alsof hij mensen rondleidde in een woning. 'En overal lopend water madame.'

'Vooral langs de muren,' grijnsde Witse.

'Je moet het kunnen uitleggen hé.'

Voor Van Deun was het genoeg geweest. 'Leg maar eens uit wat je te bieden hebt.'

Dictus' grijns verslapte. 'Oei, je kameraad is serieuzer dan jij.'

Witse maakte een wegwerpgebaar.

'Goed: eerst de frik. Voor minder dan 2000 euro doe ik mijn mond niet meer open.'

'1500,' zei Witse.

'En pas als de zaak rond is,' zei Van Deun.

'Witse! We hebben toch nog samengewerkt?'

'Precies.'

Witses grijns was nu verkild.

'Krijg ik tenminste een procentje van de verzekeringspremie?'

'E-ven-tu-eel.' Van Deun benadrukte elke lettergreep en keek naar Dictus als een slang naar een gifkikker.

Dictus zuchtte theatraal. 'Het is dat ik je graag heb, Witse. Het is dat wij ver teruggaan.'

'Waar is dat zilver aangeboden?' vroeg Witse koel.

'In de Madou-bar in Schaarbeek.'

'Heeft de man stukken laten zien?'

'Hij had een paar couverts bij, ja.'

Albain haalde vijf polaroids boven, waarop zilveren messen, vorken en lepels afgebeeld stonden. Van Deun nam ze aan en bekeek ze. Zijn uitdrukking sprak boekdelen: het waren inderdaad de gestolen stukken.

'Wat heb je nog?' vroeg Van Deun.

Albain fronste niet-begrijpend. Was het niet genoeg?

'Beste vriend,' glimlachte Witse, en hij legde zijn arm om Dictus. 'Als we met die kerel een afspraak arrangeren om dit zilver zogezegd over te kopen en hem dan op te pakken, dan gaat dat officieel. Ik neem met jou geen risico's meer. Geef me dus nog één detail, zodat ik zeker ben dat ik je kan geloven.'

Dictus keek Witse hatelijk aan.

'Goed. Voor hij naar mij kwam, heeft die gast zelf naar de weduwe gebeld. Maar zij wou er geen geld voor geven. Vraag het haar maar. Volstaat dat?'

Witse ontspande.

'Ok. Geef ons zijn naam, zijn adres, welke cafés hij nog bezoekt, behalve de Madou.'

'Dat zal je snel weten,' lachte Dictus zelfvoldaan. 'Ik heb hier over een uur een afspraak met hem.'

Van Deun veerde op. 'Wablief? Ben je zot geworden?' Hij legde vijf euro op tafel en wandelde naar de deur. 'Witse, ik blijf hier geen seconde langer!'

'Ik wil het je gemakkelijk maken!' protesteerde Dictus.

Witse stond ook recht. 'Je hebt het me al moeilijk genoeg gemaakt, Albain! Dat flik je me niet meer. *Wij* bepalen de regels, niet jij! Je komt deze week naar mijn bureau om een échte afspraak te arrangeren. Op *mijn* condities.'

Witse grabbelde boos de foto's samen en beende weg. Voor hij de deur van het café dichtsloeg, draaide hij zich om en riep: 'Als ik nog goesting heb!'

Witse hijgde uit in zijn wagen. Van Deun zat razend naast hem. 'Is dat jouw soort informanten? Je hebt hem een jaar niet gezien! Onbetrouwbaar en louche, precies wat ik van jou had verwacht. Nog een geluk dat we niets aan de hoofdcommissaris hebben verteld, ze zou ons nogal uitlachen. Ik riskeer mijn nek niet meer, als je dat maar weet.'

Witse hoorde hem nauwelijks. Zijn handen trilden. Hij had gedacht dat hij het wel zou aankunnen om Dictus terug te zien. Verkeerd gedacht: de herinneringen aan de ramp van vorig jaar kwamen met volle kracht terug. Zijn vingers klauwden naar de brief van Doris, die nog steeds in zijn zak zat. Hij kon de envelop niet bovenhalen met Van Deun erbij. Witse legde zijn hoofd op het stuur.

'Lig daar niet zo te liggen!' riep Van Deun. 'Waarom rij je niet door? We zijn al een uur weg van kantoor. Als de hoofdcommissaris zich vragen begint te stellen, dan hang ik!'

'Omdat Albain gelijk heeft,' zei Witse. 'De foto's klopten. We wachten op de heler.'

'Je bent gek!' snauwde Van Deun. 'Bemoei je niet meer met dat dossier! Het is *mijn* zaak en ik beslis dat die man niet te vertrouwen is.'

'Trap het dan af,' snauwde Witse.

'Reken maar dat ik dit rapporteer aan de hoofdcommissaris,' snoof Van Deun. Hij stapte uit en liep naar zijn wagen.

Witse bleef zitten.

Na een halfuur reed een zwarte sportwagen de parkeerzone op. Witse graaide naar een blocnote. Hij noteerde de nummerplaat en belde naar Dams met de vraag om die na te trekken. 'Zeg niets tegen Van Deun,' zei hij. 'En laat Dimi hier ook buiten.'

'Dimi is niet blij dat hij er niet bij betrokken wordt, Witse.'

'Bedankt voor de informatie Dams. Laat me dat signalement zo snel mogelijk weten, wil je?'

Witse haalde een camera boven en fotografeerde de man.

Na tien minuten kwam het signalement binnen. 'Delcroix Matthieu,' zei Dams. Witse noteerde. 'Geboren in 1970 in Brussel. Gekend voor oplichting, heling, valsheid in geschrifte, illegaal wapenbezit en gokken.'

'Bedankt Dams.'

'Witse, ik moet dit melden aan Van Deun of aan de hoofdcommissaris.'

'Doe wat je niet laten kunt,' zuchtte Witse. Hij klikte de zender uit en mompelde tegen zichzelf: 'Ik ga eens een bezoekje brengen aan de weduwe Fonteyne.'

4

De villa van de familie Fonteyne was even protserig als op de foto's. Ze had iets van een kasteeltje uit de achttiende eeuw: wit, robuust, met ettelijke kleine torentjes en zelfs een koepel, en grote kristallen luchters die zichtbaar waren door de ramen. Helaas: zo smaakvol als vele achttiende-eeuwse kasteeltjes waren, zo smakeloos was dit. Zoals zovele arbeiders die door een toeval rijk waren geworden, had Flor Fonteyne zijn nieuwe status te opzichtig willen tonen. De villa was veel te groot. In de tuin arbeidde een legertje stenen kabouters. De brievenbus was in de vorm van een adelaar en boven de deur prijkte een goudkleurig maar duidelijk van gips gemaakt Egyptisch aandoend borstbeeld.

Witse had het kunnen weten: de deurbel deed niet gewoon ding-dong, maar speelde een hele elektronische aria. Hoe kwam het toch dat niet iedereen meteen aanvoelde wat goede smaak was en wat niet? Zoveel lelijkheid, en er was niet eens een wet die het verbood. Het deed Witse pijn aan de ogen.

Er werd niet meteen opengedaan. Witse keek wat rond. Zijn oog viel op een lange, slungelachtige jongen in een groene overall, die hij daarnet niet had opgemerkt. De tuinman, duidelijk, want hij liep met een grote heggenschaar rond en knipte hier en daar aan de buxussen, die in de vorm van olifanten en eenden gesnoeid waren. Witse kon zich niet voorstellen dat die jongen zoveel verstand had van tuinieren dat hij die hagen zelf verzorgd had. Hij vermoedde zelfs dat de jongen achterlijk was, zo slungelachtig en traag ging hij te werk. Nee, waarschijnlijk was het gewoon een lusteloze puber die verplicht bijkluste om een brommer te kunnen kopen ofzo.

'Zijn ze thuis?' riep Witse.

De jongen deed alsof hij hem niet verstond.

'De familie Fonteyne? Is ze thuis?' herhaalde hij.

De tuinjongen staarde hem aan, maar gaf geen antwoord en maakte geen aanstalten om naar Witse toe te komen.

Op dat moment ging de voordeur open. Een slanke vrouw van tegen de zestig keek Witse vragend aan. Ze had harde, zorgelijke trekken om haar mond en droeg een zwart mantelpakje dat de somberheid nog meer onderstreepte. Witse draaide zich weg van de jongen en glimlachte naar de vrouw. 'Mevrouw Fonteyne?' vroeg hij. 'Commissaris Witse. Ik heb wat foto's die ik u wil laten zien.'

De woonkamer van de Fonteynes deed spookachtig aan. Over alle meubels hingen witte doeken. De matten waren opgerold en stonden tegen de muur. Witse herkende de sofa waarin Flor Fonteyne na zijn dood was neergelegd. Fonteynes weduwe, die zich had voorgesteld als Patricia, legde uit dat ze aan het verhuizen was. Ze had iets kleiners gekocht in het dorp. Zonder haar man was het veel te groot en de buren keken niet naar haar om. 'Alleen met Carla kan ik praten. Ze is ook weduwe.'

Ze wees naar een belendende kamer, die de keuken bleek. Witse zag een vrouw van ongeveer dezelfde leeftijd, die de afwas aan het doen was. Ze kwam al even lusteloos over als Patricia Fonteyne. Ze keek even op toen Witse haar groette en knikte onmerkbaar.

'Ze was getrouwd met de assistent van mijn man. Hij verongelukte net voor Flor met die waterfilters begon. Haar zoon Roel doet de tuin. Ze zijn mijn enige gezelschap.'

Witse knikte begrijpend. De sfeer in het huis beklemde hem.

'Het spijt me dat ik de pijnlijke gebeurtenissen opnieuw moet oprakelen,' zei hij, 'maar we vroegen ons af of u dit zilveren bestek kon identificeren als het uwe.'

Waarom praatte hij plots zo officieel? Het was de omgeving die hem ongemakkelijk maakte, die sombere vrouw, de vreemde tuinman, dit veel te grote huis.

Patricia Fonteyne bekeek Albains polaroids vluchtig. Ze knikte bevestigend.

'Zijn ze teruggevonden?' vroeg ze.

'We hebben een paar aanduidingen, maar we wilden eerst zeker zijn.'

'En de daders?'

'We doen ons best. We volgen elk spoor.'

Patricia Fonteynes gezicht kreeg een bittere uitdrukking. Witse slenterde nog wat rond.

'Hebt u ooit een telefoon gekregen in verband met uw gestolen zilverwerk?'

Het ontging Witse niet dat de weduwe plots zeer achterdochtig keek. 'Van iemand die er meer van wist?' drong hij aan. 'Misschien is u een voorstel gedaan?'

'Ik begrijp u niet, denk ik,' zei ze kil.

Witse toverde zijn beminnelijkste glimlach tevoorschijn. 'Om het terug te kopen bijvoorbeeld. Dat gebeurt. Als ze voor u gevoelswaarde hebben...'

'Mijn eigen bestek terugkopen? Dat was meer een investering voor ons. Eten hebben we daar eigenlijk nooit mee gedaan.'

Witse keek de vrouw doordringend aan. Ze keek weg. Pas na enkele seconden schudde ze haar hoofd.

'Er is nooit zo'n gesprek geweest.'

Ze liegt, dacht Witse. Ik voel het, ik ruik het, ik zie het. Alleen weet ik niet waarom. Hij bleef haar doordringend aankijken. Dan, plots, glimlachte hij breed. Het was een trucje dat hij vaak toepaste: spanning creëren en die dan breken met een onverwachte en eigenlijk ongepaste glimlach. Het maakte mensen onzeker. Witse geloofde dat ze daardoor makkelijker door de knieën gingen.

'Goed,' zei hij. 'Dan laat ik u verder... verhuizen.'

Patricia Fonteyne stond al op om hem een hand te geven, toen ze beiden het gelach van kinderen hoorden. De weduwe keek door het raam. Voor het eerst in het hele gesprek verdween de lusteloosheid een beetje uit haar houding.

'Daar is mijn schoonzoon,' lachte ze. 'Hij komt de kleinkinderen brengen. En kijk, hij heeft uw collega bij zich!'

Tot zijn verbijstering zag Witse Romain Van Deun het grintpad oplopen, vergezeld van een yuppie in maatpak en twee kleine kinderen. Witse moest alle moeite van de wereld doen om zijn woede te bedwingen. Patricia liep haar kleinkinderen tegemoet. Witse slenterde haar met tegenzin achterna. Hij grijnsde hatelijk naar Van Deun.

'Wilfried, je bent vroeg,' zei Patricia. Ze kuste haar schoonzoon en knuffelde haar kleinkinderen. Tegen Witse zei ze: 'Commissaris, dit is Wilfried Offermans, de man van mijn dochter.' De yup gaf Witse een hand, terwijl hij hem wantrouwig monsterde.

'En meneer Van Deun, hoe aangenaam om u hier terug te zien!' ging Patricia Fonteyne verder. 'Ik praatte net met uw collega.'

'Meneer Van Deun kwam even langs om te informeren hoe het met ons ging,' zei Wilfried Offermans.

'Hebt u nieuws?' vroeg Patricia.

'Eigenlijk niet,' zei Van Deun, 'maar we werken eraan. Ik kwam eigenlijk om u voor een teleurstelling te behoeden. Commissaris Witse is een zeer bekwame agent en zal mij voortaan assisteren bij het onderzoek naar de moord op uw man. Hij trekt momenteel een nieuw spoor na dat ons onlangs ter ore is gekomen. Uiteraard zullen we alles doen om dat tot het eind te volgen. Maar ik wil u waarschuwen: koester nog niet te veel hoop. Als er een doorbraak is, kunt u ervan op aan dat ik u die als eerste zal melden.'

Witse stond perplex. Hij zou razend geworden zijn, als hij niet merkte dat Van Deuns pompeuze toon aansloeg bij de weduwe. Ze keek hem zowaar met glanzende ogen aan en zei: 'Meneer Van Deun, dat is zo *lief* van u, dat u ondanks uw drukke bezigheden toch de tijd vindt om zich over de slachtoffers te bekommeren. Ik vind het zo *fijn* dat de politie ons niet in de kou laat staan.'

Dus zo vult de oude snoeper zijn dagen, dacht Witse met een mengeling van boosheid, minachting en geamuseerdheid. Hij vrijt weduwen op... Dan heeft hij in de Moordsectie de ideale job gevonden, natuurlijk. Witse vermoedde niet dat Van Deun ooit echt ongeoorloofde dingen deed met de slachtoffers. Daarvoor ontbrak het hem aan passie. Ongetwijfeld gebruikte hij de weduwen enkel om zijn ego te strelen: Romain van Deun, trooster van oude vrouwtjes...

'Collega Van Deun, ik laat u zich dan maar om het slachtoffer bekommeren,' glimlachte Witse vals. 'Uw assistent heeft nog werk te doen.'

Enigszins onvast van woede om de vernedering die Van Deun hem net had bezorgd, wandelde hij naar zijn auto. Hij kon pas instappen nadat de tuinjongen de kruiwagen had verplaatst. Dat deed hij heel traag en met heel veel tegenzin, zodanig dat Witse hem bijna had uitgekafferd. Als ik zelf een zoon had gehad, dacht hij, zou die dan ook zo geworden zijn?

5

In de auto, op weg naar kantoor, gebeurden er twee dingen die Witses humeur nog meer op de proef stelden. Hij was nog niet goed en wel vertrokken of zijn gsm rinkelde. Hij plaatste het ding in de houder naast het stuur en nam op.

'Ik bel alleen om te vragen of je mijn brief hebt gekregen.'

'Ja Doris,' zei Witse toonloos.

'Je komt toch?' Haar stem klonk zacht en aarzelend.

'Ja Doris.'

'Bedankt. Dat is lief van je.'

'Ja Doris.'

Hij klikte zijn gsm uit en reed naar de kant. Hij zette de motor stil en legde zijn hoofd op het stuur.

Waarom zei hij alleen 'ja Doris'? Was dat alles wat hij tegen haar te zeggen had? Hij zou haar zoveel willen vertellen! Maar wat zou dat voor zin hebben? Hij was haar kwijt. Paul Keysers had haar nu. Paul Keysers maakte tijd voor haar, kocht haar cadeautjes, was attent, gaf complimentjes, dacht aan haar verjaardag, liet zonder morren haar hond uit, deed galant en presteerde in bed. De misdaad kon wachten! De hoofdcommissaris bevredigde zijn vrouw! Nee, sorry, vergissing: de hoofdcommissaris bevredigde *andermans* vrouw, terwijl die *anderman*, die mindere man, die workaholic, die dikzak de misdaad oploste.

Witse mepte met zijn vuist op het stuur. 'Ja Doris.' Dat was alles! Hoe zou hij ooit een vrouw kunnen charmeren, als hij niet leerde zijn gevoelens te uiten?

Toen kreeg hij een sms'je binnen. Witse voelde zich betrapt, alsof iemand hem had zien zitten, huilend en vloekend aan de kant van de weg. Doris? Waarom liet ze hem niet met rust?

Het kwam niet van Doris. Er stond geen nummer boven. De boodschap was:

Waar is het zilvervisje heen gevlucht?

Witse bekeek de boodschap enkele seconden, startte zijn wagen en reed naar het commissariaat.

'Ha Witse, ben je bij Annie op bezoek geweest?' vroeg Dimitri. Het leek wel alsof hij hem had staan opwachten.

'Huh? O... Ja. Jaja, natuurlijk. Annie.'

'Het ging beter met haar, nee?'

'Veel beter. Ja, ze maakt het goed.'

'Hangt ze nog aan het infuus?'

'Jongen, vraag me niet zo de oren van de kop! Het gaat goed met haar en ze doet je de groeten. Mag ik nu mijn werk doen?'

Dimitri keek hem verbouwereerd na. Hij zag Witse zonder om te kijken opnieuw naar Van Deuns bureau wandelen. Weer Van Deun! Wat voerden die twee in hun schild? Dimi was beledigd dat hij buitengesloten werd, vooral omdat een oen als Van Deun blijkbaar wél mocht weten wat er aan de hand was.

'Heb je genoten?' vroeg Witse.

Van Deun keek vragend op.

'Ik vroeg of je genoten had van je kleine prima-donna-wraakoefeningetje? Was het fijn om me te vernederen? *Heb je je vermaakt van Deun?*'

Witse trilde nu van woede. Hij moest zich inhouden om de man niet bij zijn hemd te grijpen en over het bureau te sleuren. Van Deun probeerde zich een houding te geven. Hij stond op en trachtte zo keurig en rustig mogelijk te praten.

'Ik vond dat de familie moest weten dat jij in je eentje handelde. Ik weet niet of je het beseft, commissaris Witse, maar deze mensen doorstaan een tragedie. Ze klampen zich aan elke strohalm vast. Als jij hen dan ook nog eens valse hoop gaat geven... Dit is mijn dossier, en ik beslis of ik een tip belangrijk genoeg acht om het onderzoek te heropenen. Ik vond jouw tipgever, het spijt me, een arrogante en volslagen onbetrouwbare kwast. Het verbaast me niet dat jij je met zo'n types omringt.'

'Als er iemand arrogant en volslagen on-vanalles is, dan...'

'Dan ben ik het, Witse? Beste collega, als de politie, waar jij tot nader order bijhoort, met tipgevers werkt, dan zijn die geregistreerd en dan wordt hun handel en wandel nageplozen. Dat zijn de regels, dat is de wet. Bij jouw Brussels kroegenmannetje is dat niet gebeurd. Hij is al maanden geschrapt. Ik heb het net nageplozen. Ik ben een politieman, Witse. Nee: ik ben een rijkswachter. Ik hou de wacht voor het rijk. Dat kan enkel als de regels gevolgd worden. Stipt. Met trots. Als jij het dan nodig vindt om op basis van onbetrouwbare informatie van een of andere dronken zwanzer slachtoffers van een vreselijke moord, die we helaas tot nu toe niet hebben kunnen helpen, de valse hoop te geven dat hun zaak morgen opgelost is omdat de grote commissaris Witse zich ermee bezig gaat houden, dan zie ik het als mijn plicht om die mensen voor een teleurstelling te behoeden.'

'Wat is hier aan de hand?'

De twee mannen waren zo in hun ruzie opgegaan dat ze Ilse Vandecasteele niet hadden horen binnenkomen. De hoofdcommissaris van Halle was een mooie jonge vrouw met weelderig bruin haar en lange benen, die ze steevast hulde in korte rokjes. Haar jeugd en schoonheid hadden mannen al vaker op het verkeerde been gezet: ze was geen katje om zonder handschoenen aan te pakken. Haar bijnaam in de sectie was niet voor niets 'het ijskonijn'. Ze klik-klakte op haar naaldhakken naar de twee kemphanen. Ze keek hen allebei streng in de ogen. Van Deun sloeg de ogen neer. Witse niet.

'Ik heb het gevoel dat er straks moorden gebeuren op de Moordsectie.'

'Als commissaris Witse zich zou kunnen beheersen, hoeft u zich daar geen zorgen over te maken, mevrouw de hoofdcommissaris,' zei Van Deun. Witse onderdrukte zijn walging.

Vandecasteele produceerde een kort glimlachje.

'Komen jullie even naar mijn kantoor?'

'Als ik het goed begrijp heeft de weduwe Fonteyne haar zilverwerk herkend?' zei Vandecasteele.

'Die foto's kunnen van overal komen!' protesteerde Van Deun. Vandecasteele stak haar hand op om hem het zwijgen op te leggen en keek naar Witse. Die knikte. 'Ze zegt dat ze nooit gecontacteerd is door iemand die het zilver aan haar terug wilde verkopen. Mijn informant beweert dat er wel zo'n telefoontje geweest is.'

'Zie je dat hij onbetrouwbaar is!' riep Van Deun. 'Waarom zou mevrouw Fonteyne over zoiets liegen?'

'Dat weet ik niet,' zei Witse scherp. 'Maar ik weet wel dàt ze liegt.'

Van Deun snoof minachtend. Dat noemde zich politieman: indrukken, vermoedens, intuïtie, dat was het enige dat Witse kende. Regels, duidelijkheid, feiten, daar had hij lak aan! Tot zijn frustratie zag Van Deun dat Vandecasteele Witse geboeid toeknikte.

'Ik weet dat Albain niet de meest kosjere informant is die er bestaat,' zuchtte Witse, 'maar in dit werk moet je roeien met de riemen die je hebt. Hij is degene die ons de tip heeft bezorgd. Het is het enige spoor dat we hebben.'

Vandecasteele zat in gedachten verzonken. Van Deun en Witse keken haar gespannen aan.

'Het kan niet, commissaris Witse, dat u op eigen houtje getuigen en slachtoffers bezoekt en onderzoeksdaden stelt, zonder dat u mij hiervan op de hoogte brengt,' zei ze uiteindelijk. Van Deun glunderde. Witse keek haar onbewogen aan.

'Het kan ook niet dat u collega's fysiek bedreigt.'

Witse stak zijn hand op om te protesteren, maar met een gebaar legde ze hem het zwijgen op.

'Van Deun heeft gelijk als hij protesteert tegen uw gebruik van ongeregistreerde informanten. U gedraagt zich alsof u de enige bekwame politieman van dit korps bent. Bovendien heb ik begrepen dat u zich akkoord verklaard hebt dat u met deze informant, Albain Dictus, nooit meer zaken zou doen. Dat u uit zijn buurt zou blijven. Het kan niet dat u die afspraak zomaar eenzijdig opzegt.'

Van Deun had spijt dat hij geen recordertje had meegenomen. Deze bolwassing zou hij op cd willen laten branden en elke avond voor het slapengaan afspelen op zijn discman. En voor hij naar het werk vertrok, nog een keer. Hij zou nooit meer bars of humeurig zijn. Dit was mooier dan hij zich kon dromen.

'Anderzijds hebt u gelijk dat Albain Dictus ons enige spoor is,' ging ze verder. 'Zolang alleen wij weten dat hij onze tipgever is, ben ik bereid dat voor één keer door de vingers te zien. Het oplossen van een moord is belangrijk. U mag hem een afspraak laten maken met de heler. Morgen, aan de vijver van Gaasbeek. En zeg dat de heler een paar stukken meebrengt. Van Deun, je moet toegeven dat je op dit moment geen ander spoor hebt. Ik draag je dan ook op om het dossier aan Witse over te dragen. Mocht dit spoor doodlopen, dan ken ik het graag weer aan jou toe.'

Van Deun was te verbouwereerd om te protesteren. Met een brede glimlach knikte Witse de hoofdcommissaris toe en wandelde naar zijn bureau om Albain te bellen.

6

De afspraak vond plaats aan de vijver van het kasteel van Gaasbeek. Het prachtige neogotische kasteel was op weekenddagen en in de zomer een drukbezochte toeristische attractie, maar die dag lag het er vredig bij. Het was de sluitingsdag. Een lichte Belgische motregen daalde neer op de baksteenrode torentjes, de trapgevels en de grijze pannen. De voltallige Moordsectie van Halle was opgevorderd om de heler – en moordenaar van Flor Fonteyne? – op te pakken. Dams en een wrokkige Van Deun zaten verdekt opgesteld in het uitgestrekte bos. Zij hielden de toegangsweg tot het kasteel in het oog en zouden waarschuwen als de man aankwam. Ilse Vandecasteele had zich opgesteld op een heuvel, vanwaar ze met een verrekijker de operatie overzag. Witse drentelde samen met Albain rond op de grote parking. Hun auto was de enige op het uitgestrekte terrein.

Witse voelde zich belabberd. Hij had gisteren kletterende ruzie gemaakt met Dimitri. Na zijn triomfantelijke gesprek met Van Deun en de hoofdcommissaris, had hij eraan gedacht om Annie te gaan bezoeken. Hij kwam een kwartier voor het einde van het bezoekuur in het ziekenhuis aan. Dimitri zat aan het bed van Annie, voor de tweede keer die dag. Hij was koel geweest en had nauwelijks gereageerd op Witses groet. Annie deed ook koel. Ze verweet hem dat hij niet eerder was gekomen. Nu hij er was, moest hij al na een kwartier weer buiten. Wat was dat voor een manier van doen? Ze was er erg aan toe hoor!

'En het ergst van al: dat je gelogen hebt tegen Dimi. Jaaaa commissairke Witse, ik hoor alles. Ge hebt tegen deze jongen gezegd dat ge deze morgen bij mij geweest zijt. Dat is ook het eerste dat ik daarvan hoor, zeg ik tegen hem. Schoon is dat, liegen tegen uw beste vriend. En op de bureau zijt ge ook al nauwelijks geweest hoor ik. Schone zaken allemaal. We zullen nog eens een feest voor u geven.'

Ze had gelijk gehad, maar Witse viel liever dood dan

dat toe te geven. Toen Dimi wegging, was hij hem achterna gelopen. Op de parking voor het ziekenhuis had Dimi hem toegesnauwd: 'Als je vanaf nu liever met Van Deun op stap gaat, ga uw gang. Maar zeg het me dan eerst, dat ik weet dat ik voor jou nog minder ben dan die azijnpisser.'

'Ik ben met mijn informant gaan praten over zijn dossier, oké? Denk je dat ik voor mijn plezier met die zeikerd op stap ga?'

'Bullshit! Je vertrouwt me niet. Je denkt dat ik mijn job niet ken.'

Witse had nog aangeboden om bij hem thuis het dossier samen te gaan bestuderen, maar Dimi had razend gesnauwd dat het te laat was, en was weggereden. Vanochtend had hij hem kil toegeknikt, en dat was het dan.

Het sms'je van gisteren bleef ook in Witses hoofd rondspoken. *Waar is het zilvervisje heen gevlucht?* Hij zou moeten laten natrekken vanwaar het verstuurd was, maar kon niet zo gauw iemand bedenken die dat voor hem kon doen, zonder dat hij zou moeten uitleggen waarom. Officieel kon het niet – daarvoor had hij een toelating nodig van de procureur, en die kreeg hij nooit zonder dat hij een zaak opende. Bovendien had hij geen zin om zijn angstige vermoedens tegen iemand uit te spreken. Ach, waarschijnlijk kwam het van een grappenmaker. Hij moest zich nu op deze zaak concentreren.

Albain was nerveus. Hij ijsbeerde heen en weer, beet op zijn nagels, nam een kauwgom en praatte onophoudelijk. Witse werd horendol van hem. Hij vroeg zich af of Albain opzettelijk mankte, om hem een schuldgevoel te bezorgen. Hij dacht er niet aan om het onderwerp aan te snijden. Dat was het verleden. Het was Albain die besloten had om weer contact op te nemen, niet hij.

'Je hebt toch gezegd dat het om tien uur was?' vroeg Witse bits.

Albain knikte. Witse keek op zijn horloge. Het was kwart over tien. Hij mocht er niet aan denken dat de heler niet zou komen opdagen. Hij zou Van Deun nooit meer onder ogen kunnen komen! Witse stelde zich de valse triomfantelijke blik voor van de lepe regelneef, elke dag opnieuw…

Alsof ze zijn gedachten geraden had, kraakte Vandecasteeles stem door de walkietalkie. 'Van Deun? Iets in het vizier?'

'Negatief. De man komt niet. Het wordt een catastrofe, ik heb het van in het begin gezegd. Over.'

'Dankje Van Deun,' zei Vandecasteele koel. 'Gewoon "nee" was voldoende geweest. Over en uit.'

Witse rolde met zijn ogen en keek Albain aan. Hij toonde de walkietalkie, om te zeggen: je hebt het gehoord, hoe mijn collega's over mij denken? Albain keek nerveus naar zijn schoenen en ijsbeerde verder.

Het regende harder. Het was koud. Albain en Witse stonden al een halfuur te kleumen. Albain rookte de ene sigaret na de andere en wandelde nog steeds heen en weer. Hij leek het niet te merken dat hij in plassen stapte, en dat zijn schoenen doorweekt raakten.

'Doet het niet pijn om te wandelen?' vroeg Witse.

Albain stopte en keek hem vragend aan. Witse wees naar Albains heup.

'O, dat. Ik merk het zelf niet. Het is veel erger geweest.'

'Zal het nog verbeteren?'

'De dokters kunnen niets garanderen. Maar het is mogelijk.'

Witse knikte en zweeg. Hij trok de kraag van zijn beige

regenjas nog wat hoger. Daarbij vielen er druppels in zijn nek. Hij rilde. Hij verlangde naar een sigaret, al was hij al jaren gestopt.

'Heb je nog iets gehoord van...' vroeg hij.

Albain schudde zijn hoofd. 'Jij?'

Witse schudde snel het hoofd. Albain grijnsde. 'Voor altijd verdwenen. Het zilvervisje is de riolen ingevlucht.'

Zijn woorden sneden door Witses hart. Hij had spijt dat hij het onderwerp aangeraakt had. Het was het verleden! Die zaak was gesloten! Afgehandeld, opgelost, geklasseerd, in het archief aan het verstoffen.

Albain en Witse zwegen weer. Het kasteel van Gaasbeek was nog enkel zichtbaar door een gordijn van regen. De bomen ruisten, de agenten vloekten binnensmonds.

Witse knipte zijn walkietalkie uit. Hij had net een tirade van Vandecasteele mogen aanhoren. Het ijskonijn was razend omdat ze al drie kwartier in de regen op een heuvel in een veld stond te wachten op een zogezegde heler die niet kwam opdagen, enkel omdat commissaris Witse haar verzekerd had dat hij voor een doorbraak zou zorgen. Mooie doorbraak! Welke verklaring had hij daarvoor?

Witse draaide zich dreigend naar Albain, die terugdeinsde.

'Drie kwartier te laat,' gromde Witse. 'Hoe heb jij eigenlijk afgesproken?'

'Hier, om tien uur!' riep Albain opgewonden. 'Ik snap het ook niet. Hij ging zeker komen. Ik heb niets verkeerds gedaan hé!'

Witse vloekte binnensmonds. Van Deun had gelijk gehad: hij had Albain nooit mogen vertrouwen. De man was een blaaskaak, een manipulator, een onbenul die zich keer op keer interessant wou maken. Af en toe zorgde hij voor een betrouwbare tip, ja, af en toe. Maar hoe vaak had hij Witse niet net zoals nu voor een bagatel laten opdraven? Het was dat Witse sympathie had voor Albains vrouw… Het was dat hij zich tegenover hem verplicht voelde, voor wat er eerder gebeurd was… Maar nu was zijn geduld op. Hij liep op Albain af en greep hem bij zijn jas.

'Jij gaat nu je gsm nemen,' zei hij. Hij sprak traag en benadrukte elk woord. 'Je belt je vriend op en vraagt waar hij blijft. Zeg dat je koper het niet meer vertrouwt en dat hij weg is als hij hier niet binnen het kwartier staat met zijn spul.'

Albain tastte trillend naar zijn gsm. 'Hij moet het verkeerd begrepen hebben,' zei hij met trillende stem. 'Het moet een misverstand zijn. Alles was geregeld…'

Hij tikte het nummer in en luisterde. Toen er opgenomen werd begon hij onmiddellijk te spreken: 'Hallo, het is Albain hier, zeg waar blijf jij met –'

Plots viel hij stil. Zijn gezicht straalde ongeloof en angst uit.

'Wablieft?'

Witse stapte op hem af en trok hem de telefoon uit handen.

'Mogen we weten waar je blijft?' snauwde hij. Toen verstrakte ook zijn gelaat.

'Met WIE?'

'Met commissaris Keysers van de Federale Recherche Brussel. Wie heb ik aan de lijn?'

Witse hapte naar adem. Dit moest een nachtmerrie zijn. Niet alleen had hij zijn reputatie verknald bij zijn collega's in Halle, niet alleen moest hij vanaf nu elke dag de honende blik van Van Deun verdragen, nee, kwelgeest Paul Keysers mocht ook nog eens opdraven om hem uit te lachen. Als je een man vernedert, doe het dan meteen grondig, moet iemand hierboven gedacht hebben.

Keysers was minstens even verrast als hij. Maar hij herstelde zich sneller.

'Dit is de gsm van Delcroix. Dat klopt. Ik wil hem wel aan je doorgeven, maar veel zal hij niet zeggen. Hij heeft twee kogels in zijn hoofd.'

Witse liet het nieuws doordringen. Hij hervond zijn professionaliteit. 'Wanneer is hij vermoord?'

'Volgens de wetsdokter rond elf uur gisteravond. We hebben nog geen wapen gevonden. Waarvoor moest jij hem hebben?'

'Ik had met het lijk afgesproken om zilveren couverts van hem te kopen.'

Witse besefte hoe belachelijk het klonk. 'Ze zijn gestolen bij een roofmoord. We vermoedden dat Delcroix de dader was, of hem minstens kende.'

'We hebben inderdaad dozen met bestekken gevonden in zijn koffer,' zei Keysers. 'Je mag je servies hebben. Als de weduwe van die loodgieter het herkent, dan stuur je ons een dubbel van je pv. Dat kan dan in ons dossier.'

'Uw dossier? Ik zoek die vent voor roofmoord hé!'

Witse hoorde Keysers zuchten aan de andere kant van de lijn.

'Ik weet van wie je die informatie hebt. Witse, die Albain van je ligt er hier al maanden uit. Er is geen kat in het milieu die hem nog au sérieux neemt. Ik dacht trouwens dat we afgesproken hadden dat jij en ik nooit meer met hem zouden werken? Het valt me tegen dat je zo naïef gebleven bent.'

'Liever naïef dan achterbaks,' snauwde Witse. 'Delcroix is dood met mijn zilver in zijn koffer. Wie zijn dossier is het dan?'

'Dat van ons,' zei Keysers kil. 'Jij hebt geen motief voor de moord, wij wel. Delcroix had bij de gokkers van de Madou leningen uitstaan tegen 20% rente. Een van die gokkers heeft gisteren doodsbedreigingen tegen hem geuit. We hebben hem opgepakt. Jouw zilver heeft er niets mee te maken. Jij stuurt ons een pv'tje en wij werken dat onderzoek af.'

Witse gromde wat.

'Wees blij dat je er vanaf bent vent!' riep Keysers uit. 'Enfin, ik heb werk te doen hier. Ik zie je de 26ste in de rechtbank. Doris verwacht je.'

Witse stond lange tijd met zijn ogen gesloten in de regen. Het koude water dat zijn kraag instroomde voelde heerlijk aan. Hij probeerde zijn aandacht enkel op de regen te richten.

Toen hij zijn ogen weer opende, staarde hij Albain doods aan.

'Je had alles geregeld, hé?' zei hij, haast zonder zijn stem te verheffen. 'Alles was in orde. Noem jij dit in orde?'

Voor Albain kon protesteren had hij hem al vastgepakt en tegen de wagen gedrukt. Witse trok Albains armen achter zijn rug en klikte handboeien aan. 'Ik heb toch niets gedaan! Ik weet van niks!' jammerde de informant. Witse zei geen woord meer. Hij wenkte naar de agenten in het bos dat ze tevoorschijn konden komen.

7

Er heerste een lamlendige sfeer op de redactie van *Het Blad van Brussel*, het meest gelezen dagblad van de hoofdstad. Van de vier journalisten die de krant dagelijks volschreven met onthullingen, schandalen en roddels waren er twee niet komen opdagen en de twee anderen lagen voor pampus in de sofa in het bureau van de hoofdredacteur. Die was afwezig. Hij was gaan lunchen met een minister van de Brusselse regering, en dat betekende dat hij voor vier uur niet terugkwam, àls hij die dag nog terugkwam. De twee enige 'werkende' journalisten vonden dat zij dan ook niet zo hard uit hun sloffen moesten komen die dag. De krant zat vol. Ze hadden een artikel vertaald uit de Britse *Daily Mail* van twintig jaar geleden – iets over artistieke jongeren die straatkatten levend vilden, waarna ze ze stoofden met pruimen en opdienden in de artistieke restaurants waar ze 's avonds kelner speelden – en het voorgesteld alsof dat vandaag in Brussel gebeurde. Wie zou het checken?

'Cognacje?' vroeg Frankie Smegghe. Zijn vriend, collega en wapenbroeder Georges – Giorgio voor de vrienden – Goossens reikte zijn glas aan. De enige reden waarom zij niet net als hun baas in een duur restaurant zaten, was omdat drinken op het werk goedkoper was. Zelfs de cognac hoefden ze niet te betalen: Smegghe had het sleuteltje laten bijmaken dat toegang verschafte tot het drankkabinet van de hoofdredacteur. Die was toch altijd zo vertroebeld dat hij niet merkte dat zijn drankvoorraad sneller slonk dan zelfs voor hem normaal was.

Smegghe en Goossens waren een succesvol journalistenduo. Aan hun riem hingen scalpen van politici, politiemensen en andere Belgische prominenten. Zij wisten als geen ander dat je als journalist pas naam maakte als je hoogwaardigheidsbekleders tot aftreden kon dwingen. Twee van hun slachtoffers hadden zelfmoord gepleegd omwille van hun onthullingen. Daarna hadden de Belgische kranten en tijdschriften gevochten om hun artikels te mogen publiceren. De laatste tien jaar hadden ze onderdak gevonden bij *Het Blad van Brussel.* Niet het meest kwaliteitsvolle dagblad misschien, maar het betaalde wel het beste, en ze mochten schrijven wat ze wilden. Al tien jaar lang verzorgden ze er de rubriek Bladluis en Persmuskiet, een dubbele pagina in het midden van de krant waarin ze elke dag een nieuw schandaal uitspitten, of veroorzaakten. Goossens was Bladluis, Smegghe Persmuskiet.

'De tijden zijn slap,' lalde Goossens. 'Hoe lang is het geleden dat er nog eens een echte corrupte politicus was? Zo'n man die én minister van Volksgezondheid én invoerder van slachtafval én voorzitter van de commissie ter keuring van het slachtafval is. Allemaal verdwenen. Wat krijg je in de plaats? Watjes die hun zetel in de ouderraad van de school van hun dochter opgeven omdat het onverenigbaar is met hun ambt als schepen van Groenvoorziening in Bommerskonte...'

'Broodroof, dat is het,' beaamde Smegghe. 'En waar zijn de tipgevers naartoe? De flikken die voor een appel en een ei hun korpschef verlinken, de kabinetards die stiekem foto's nemen van hun minister met zijn maîtresse op de onderhandelingstafel, de poetsvrouwen die compromitterende dossiers kopiëren? Weg! Verwijderd door interne audits!'

'De persvrijheid is in het gedrang,' zei Goossens somber, en nam nog een slok. 'De enige journalisten die nog aan de bak komen, zijn gatlikkers.'

'En wij.'

'Omdat wij cre-di-bi-li-teit hebben opgebouwd.'

'Proost!'

De bloedbroeders namen nog een slok.

Op dat moment ging de telefoon. Smegghe kreunde. Hij had geen zin om op te nemen. Allicht was het een of andere jonge woordvoerster van een of ander overgesubsidieerd cultureel centrum die een opwindende interactieve happening organiseerde in een sociaal moeilijkere wijk, iets met theeschoteltjes draaien voor moslims of jongleren met de grootmufti van Sjokowakije. Ze hadden het druk, wisten die teven dat dan niet?

De lijn schakelde automatisch door naar een toestel dat dichter bij hen stond. Smegghe rolde met zijn ogen, maar stond dan toch op.

'Het is een ouderwetse tipgever,' grijnsde hij. 'Ik voel het.'

'Daar drink ik op,' lachte Goossens.

Smegghe had gelijk. Het was een ouderwetse tipgever. Hij vervormde zijn stem zelfs. 'Oewitze is toeroeg in Broezel.' Alsof Smegghe niet hoorde dat de man als de eerste de beste amateur gewoon valse tanden in zijn mond had gestoken. Maar het charmeerde hem. Het was zoals in vervlogen tijden, toen ze de minister van Landsverdediging tot ontslag en later zelfgekozen ballingschap hadden gedwongen met hun onthullingen over zijn cocaïnefeestjes met minderjarigen. Dat was ook begonnen met zo'n tipgever – een volslagen onbetrouwbaar sujet, het verhaal kon nooit bewezen worden, maar ook niet ontkracht! Op het

Internet bestonden er nog tientallen anti-doofpot-sites waar hun artikel geciteerd werd en waar goedgelovige zielen het onderzoek naar de perversiteiten uit de jaren 1980 verderzetten.

'U mag die tanden uitdoen,' lachte Smegghe. 'We garanderen uw anonimiteit.'

Hij luisterde naar de man.

'Witse, hmm?'

De man vroeg iets.

'Met "hmm" bedoel ik: "we zijn er misschien in geïnteresseerd."'

'...'

'Nee, "lul maar op" dat zou "hm" geweest zijn.'

De man aan de andere kant van de lijn was tevreden. Smegghe ook. Hij maakte een afspraak en wenkte Goossens.

Een uurtje later zaten ze beiden in een donker café in Schaarbeek. Ze hadden zonnebrillen op om hun waterige ogen te verbergen en omdat dat beter was voor hun imago. Terwijl ze wachtten op hun tipgever, lazen ze de kranten van de dag.

'Maar dat is toch geen nieuws! Dat wisten wij al jaren! We hebben dat nog geschreven toen Leburton zijn afscheid vierde. En toen al was dat eigenlijk geen nieuws.'

'Gatlikkers, Smegghe. Er werken alleen nog gatlikkers.'

'En hier, "Vermoorde Delcroix was Peetvader Brusselse Gokkersmaffia." Dat komt uit ons boek!'

'*De Peetvaders van België*, door Smegghe en Goossens, 1995. Een standaardwerk.'

'Woord voor woord overgeschreven! Zonder bronvermelding!'

'Schijters en gatlikkers, Smegghe. Ze maken de stiel kapot.'

De twee journalisten gingen zo op in hun lectuur dat ze nauwelijks gemerkt hadden dat een man over hen had plaatsgenomen. Ze keken pas op toen die luid kuchte.

Smegghe kon een glimlach niet onderdrukken. Jaaah, dit was een tipgever zoals hij ze graag had. Gekleed in een lange regenjas, sjaal voor de mond en een pet diep over de ogen getrokken. De jas deed hij uit, maar de sjaal en de pet hield hij aan.

'U had nieuws over Witse,' zei Smegghe.

'Witse?' vroeg Goossens.

'Die van de Federale die vorig jaar door het lint gegaan is,' bracht Smegghe in herinnering. 'Komt hij terug naar Brussel?'

'Niet officieel, natuurlijk,' zei de informant. 'Maar we hebben onze vermoedens.'

'Met vermoedens kunnen wij niet werken. Wij hebben onze deontologie.'

Goossens grijnsde.

'Hij werkt weer samen met Albain Dictus,' zei de informant.

'De kerel die hij vorig jaar...' Smegghe maakte met zijn wijsvinger en zijn duim een pistool. De informant knikte.

'De moord op Delcroix, gisteren...' Hij tikte met zijn hand op het krantenartikel. 'Witse.'

'Witse heeft die moord gepleegd?'

De man schudde zijn hoofd. 'Witse had met Dictus afgesproken om Delcroix te pakken. Een dag eerder wordt hij vermoord...'

'Door handlangers van Witse!'

De informant schudde geïrriteerd zijn hoofd.

'Witse heeft Dictus gebruikt om Delcroix te vermoorden? Delcroix werd vermoord omdat hij meer wist over

Witse? Witse is corrupt geworden, een don van de Brusselse maffia, de Peetvader van de corrupte flikken?'

De informant stond op. 'Ik heb me vergist. Ik dacht dat de pers de bewaker van de democratie was, maar u houdt zich al even weinig aan de feiten als sommigen bij de ordediensten.'

'Hohoho, makker.' Smegghe haalde zijn breedste glimlach boven en deed teken dat de man weer moest plaatsnemen.

'Wij maken grapjes. Journalisten zijn humoristische mensen. Maar als wij onze job doen, laten wij ons leiden door de Waarheid, en enkel de Waarheid. Dus... als wij ook maar iets schrijven over Witse, dan hebben we bewijzen nodig. Minstens een foto. Zou u ons op de hoogte kunnen brengen als wij zo'n foto kunnen nemen?'

De man aarzelde. Dan knikte hij.

Smegghe ontspande. 'Drink nog wat met ons.'

'Ik drink niet,' zei de man kil. 'Ik moet gaan.'

'Wilt u ons tenminste vertellen waarom u dit doet?'

'Voor de wet,' antwoordde de man. 'Als zelfs de politie de regels niet meer respecteert, hoe kunnen we dat dan van de gewone man verwachten?'

En met die woorden deed hij zijn lange jas weer aan, draaide zich om en wandelde het café uit. Smegghe en Goossens keken hem geamuseerd na.

8

De Sijsjeslaan, bij het krieken van de dag... De zon was pas op en bescheen de verzorgde tuintjes en het ene onverzorgde. Plots werd de stilte verbroken door het geronk van een auto. Aan het stuur zat Doris. Ze speurde aandachtig de huisnummers af, tot ze nummer 19 gevonden had... Ze reed de oprit op.

Witse, die thuis zat te lezen, werd opgeschrikt door het geblaf van een hondje. Geblaf dat hij leek te herkennen... Hij stond op en keek door het raam. Wat een verrassing toen hij Doris' keffertje herkende!

Hij liep naar de voordeur en trok ze open. Daar stond Doris! Ze viel hem in de armen en begon te huilen. 'Witse,' snikte ze. 'Het spijt me zo, Witse. Ik heb me zo vreselijk vergist in Keysers. Ik heb met hem gebroken. Wil je me terug?'

Witse streelde haar haar en kuste haar op haar kroon. Hij suste haar.

'Wat heeft hij gedaan?' vroeg hij.

Doris snikte heviger. Witses ontroering en vreugde maakten plaats voor haat. 'Doris, zeg wat hij gedaan heeft! Ik wil de waarheid horen!' riep hij.

'Daar is hij!' riep Doris in paniek. 'Hij is hier!'

'Godverdomme!' Witse liet Doris los en greep zijn pistool uit de holster. Doris huilde maar dat hoorde hij nauwelijks. Hij had nog enkel aandacht voor de gluiperd Keysers, die ook op de oprit was komen rijden en uit zijn auto stapte. Hij was ongewapend. Dit was zijn moment. Dit was het moment waarop hij wraak zou nemen, waarop hij de gore zak zou straffen voor wat hij Doris en hem had aangedaan. 'Je gaat eraan!' brulde hij. 'Je gaat eraaaaaaa–'

Met een schok werd Witse wakker. Verschrikt sprong hij uit zijn bed en rende naar het raam. 'Doris?' hijgde hij. 'Doris sorry ik ben...'

Dan pas besefte hij dat het een droom was geweest. Teleurgesteld liet hij zich in zijn sofa zakken. Hij vocht tegen de tranen.

Zo bleef hij tien minuten zitten, hijgend en sniffend in zijn te wijde, geruite pyjama die hij binnenstebuiten aanhad. Flarden van de droom bleven in zijn hoofd rondspoken. De teleurstelling ebde weg. In de plaats kwam de angst voor de haat die hij had gevoeld. Hij had Keysers willen vermoorden! Hij was zichzelf niet geweest. Alweer!

Hij nam het boek dat aan de andere kant van de sofa lag, en dat hij al enkele weken aan het lezen was. *De 25 stappen naar het geluk* heette het. Het bevatte een lijst met gedachten die een mens meer zelfvertrouwen zouden moeten geven. Hij sloeg het open op de plaats waar de bladwijzer stak. 'Gedachte 13,' las hij. 'Ik ben een magneet. Ik trek al het geluk in de wereld aan.'

Mummelend knoopte Witse zijn pyjama los en ging op zoek naar zijn kleren. Daarvoor stapte hij over boeken, kranten, tijdschriften en kleren die al lang in de wasmand hadden moeten liggen. De aanblik van zijn dikke naakte lijf in de spiegel zorgde voor een dipje in zijn zelfvertrouwen, maar 'Ik ben een magneet!' zei hij nadrukkelijk tegen zijn spiegelbeeld. Hij trok zijn buik in. 'Ik trek al het geluk in de wereld aan.'

Er lag een stapel kleren op de grond. Onderaan zag hij zijn broek.

'Zie je wel?' zei hij tevreden tegen zichzelf. 'Het werkt al.'

De deurbel ging. Witse glunderde nog meer. 'Daar belt het geluk al aan!'

Hij knoopte zijn hemd snel dicht en wandelde naar de deur.

Het was Dimitri. Hij had zijn groene sportwagen half op het trottoir geparkeerd. Witse was blij hem te zien, en tegelijk vroeg hij zich af waarom hij niet als eerste de verzoenende stap had gezet. Het was zijn schuld dat ze ruzie hadden!

'Ha Dimi,' zei Witse. 'Merk je niks aan mij?'

'Je hemd hangt uit je broek en je das is verkeerd geknoopt.'

'Kan zijn, maar dat is het niet. Ik ben vandaag een magneet die al het geluk aantrekt.'

'Je zou beter een magneet zijn die vuile kleren in de wasmachine stak,' zei Dimi, met een blik in de gang.

Grinnikend stonden de twee tegenover elkaar. Witse maakte een uitnodigend gebaar en Dimitri wandelde Witses huis in.

'Ben je al wat afgekoeld?' vroeg Witse.

Dimitri schokschouderde.

'Kijk Dimi: sorry. Ik ben mezelf niet. Het is... Morgen, de zesentwintigste, is het zover. Dan is het definitief.'

Hij pakte de brief van Doris van tafel en gaf hem aan Dimitri. Die nam hem vluchtig door.

'Ik dacht al zoiets,' zei hij. 'Je gaat toch?'

'Ik moet wel hé. Ze zegt dat ze gelukkig wordt.'

'Zeg dat dan in het vervolg tegen mij,' zei Dimitri, die toch nog even wilde laten voelen dat hij zich niet zo snel liet paaien.

'Bij een volgende scheiding of wat?' glimlachte Witse. Dimitri lachte. Haast onbewust begon hij boeken en tijdschriften met zijn voet naar een kant te schoppen, de kleren naar de andere, zodat de kamer er toch iets opgeruimder uitzag.

'Het is niet je gewoonte om je zo makkelijk te laten afpoeieren,' zei Dimitri.

Witse fronste vragend.

'Over dat dossier-Fonteyne,' ging Dimitri verder. 'Ik heb gehoord dat Brussel die moord op Delcroix verder onderzoekt. Het is niet je gewoonte om een dossier zo gemakkelijk uit handen te geven.'

'Wie zegt dat?' vroeg Witse. 'Hoe meer ze dénken dat wij er niet meer mee bezig zijn, hoe meer wij onze handen vrij hebben. Ik was van plan om binnen...' Hij aarzelde en keek rond. '... om binnen een uurtje de weduwe Fonteyne nog eens een bezoekje te brengen. Deze keer hoop ik dat ik Van Deun niet tegenkom. Zin om mee te gaan?'

Dimitri grijnsde breed.

9

'Geloof jij dat dromen dingen kunnen voorspellen?' vroeg Witse in de auto op weg naar de familie Fonteyne.

Dimitri keek hem vragend aan.

'Ik heb vannacht bijna Keysers vermoord. Toen ik wakker werd, dacht ik echt dat ik het zou kunnen doen. Ik denk het misschien nog... Die boosheid... Verdomme, ik vertrouw mezelf niet meer!'

'Dat is toch niet abnormaal?' zei Dimi. 'Mocht mij dat overkomen, ik leverde de eerste dagen mijn pistool in.'

'Ook nog na een jaar?'

'Witse! Je hebt een nachtmerrie gehad. Dat is perfect normaal.'

Witse knikte. Dimitri had gelijk. Hij moest zich niet zulke zorgen maken. Maar hoe zou hij reageren als hij Doris terugzag, morgen in de rechtbank, en Keysers was erbij?

Dimitri trok grote ogen toen hij de witte villa van de Fonteynes zag. Hij floot zachtjes. 'En dat voor een loodgieter,' zei hij. 'We hebben duidelijk het verkeerde beroep gekozen.'

Witse grinnikte en stuurde de Toyota door het hek. Hij wuifde naar Wilfried Offermans, de yuppie-schoonzoon, die met zijn twee kinderen aan het dollen was. De man groette beleefd terug. Witse wees Dimitri op de tuinkabouters. 'Hai-ho, hai-ho,' neuriede hij. Dimitri en Witse lachten smakelijk.

Patricia Fonteyne kwam hen tegemoet. Ze droeg nog steeds haar zwarte kleren. Achter haar stond de tuinjongen Roel. Hij deed alweer niets, maar bekeek hen met zijn hagedissenblik. Hoe kunnen pubers in godsnaam zo sloom zijn, vroeg Witse zich opnieuw geërgerd af. Welk plezier hebben ze aan dat indolente nietsdoen?

Dimi en Witse haalden elk een kist met tafelzilver uit de koffer. De weduwe vroeg Roel om hetzelfde te doen, en zelf nam ze de laatste kist. Ze snikte terwijl ze naar binnen stapte.

'Dan is de moordenaar van mijn man ook dood,' zei Patricia Fonteyne stil, nadat ze het zilver in de hoek hadden gezet en waren gaan zitten.

'Zolang er geen andere feiten zijn, gaan we daar vanuit, ja,' zei Witse.

'Dan is dat dossier afgesloten?'

Witse maakte een min of meer bevestigend gebaar. Uit zijn ooghoek zag hij dat Carla, de andere weduwe die Patricia hielp, ook weer in het huis rondliep. Ze zeemde de ramen. Witse had het gevoel dat ze hen aan het afluisteren was.

Dimitri schoof Patricia zijn notitieblokje toe.

'Als u hier even uw voorlopige verklaring wil tekenen, mevrouw Fonteyne?'

Zonder aarzelen tekende ze.

'Dank u,' zei Witse. 'Dan stappen we maar eens op.'

Alsof dat een teken was, verwijderde Carla zich van het raam en liep naar de tuin. Toen ze uit het gehoor was, zei Witse: 'Of ja, er is toch nog iets. Ik heb het dossier nog eens nagelezen... Die 20.000 euro die u van uw persoonlijke spaarrekening hebt afgehaald... dat was voor de kosten van de begrafenis?'

Patricia keek Witse kil aan. 'Mijn man heeft de uitvaart gekregen die hij verdiende. Vraag maar na in het dorp: bijna iedereen was op de koffie en ze hebben allemaal nog een aandenken gekregen ook!'

Witse glimlachte zijn typische glimlach.

'Ik dacht al zoiets. Dank u. U hebt ons erg geholpen. En veel sterkte.'

'20.000 euro voor een begrafenis,' mompelde Witse terwijl hij met Dimitri over de uitgestrekte tuin weer naar zijn auto stapte. 'Ze hebben allemaal een aandenken gekregen...'

'Een zilveren lepeltje,' grinnikte Dimi.

Ze lachten. Toen zag Dimi dat Roel van aan de andere kant van de tuin hen in het oog hield. Alweer was hij niet aan het werken. Witse begon zich af te vragen of hij in dienst was genomen als spion.

'Dat mannetje interesseert me wel,' zei Dimi.

'Mij ook. We zullen hem eens uitnodigen. Benieuwd wat hij te vertellen heeft.'

'Het dossier is afgesloten, chef.'

Witse glimlachte.

Dan vloekte hij. Zonder Dimitri iets te zeggen begon hij plots te rennen.

'Zeg wat heb jij?' riep die. Toen zag hij wat er aan de hand was en begon hij achter Witse te lopen. 'Witse! Doe niets stoms!'

Hij was te laat. Witse had Van Deuns wagen al bereikt. Hij trok het portier open en sleurde zijn gehate collega van zijn stoel.

'Gore gluiperd! Ben je me weer aan het bespioneren? Kom je me vernederen, smeerlap? Is het al niet genoeg dat ik elke dag op jouw lepe gezicht moet zien, dat je me ook tijdens mijn onderzoeken komt gezelschap houden? Heb je zelf geen werk? Of ben je gestuurd, klootzak? Zeg eens, wie heeft je gestuurd?'

Van Deun lag jammerend op de grond. Witse sloeg hem niet, hij schudde hem door elkaar. Het natte gras liet groene vegen na op van Deuns jas. Zijn vrouw zou hem daarvoor verwijtend aankijken, met die moeë, trouwe, teleurgestelde ogen van haar.

Dimi trok Witse van Van Deun weg. 'Ben je gek? Wil je een tuchtstraf krijgen?'

Van Deun stond grijnzend op en sloeg het ergste vuil van zijn kleren.

'Dit rapporteer ik, Witse. Deze keer ontsnap je er niet aan.'

'Rapporteer het maar mooi!' snauwde Dimitri. 'Maak dat je wegbent en zorg dat je rapport drie weken duurt om te schrijven, dat we je al die tijd niet moeten zien.'

Van Deun glimlachte. 'Ik zorg ervoor dat dat er ook inkomt, Tersago.'

Hij draaide op zijn hielen, stapte weer in zijn wagen, startte en reed weg.

Nog nahijgend wandelden Witse en Dimitri naar hun auto.

'Ik vind dat jij dit ook moet rapporteren,' zei Dimitri. 'Het kan niet dat een politieman een andere politieman bespioneert, zeker niet als het zijn meerdere is.'

Witse haalde zijn schouders op.

'Daar doe ik niet aan mee.'

Hij haalde een briefje van tussen zijn ruitenwissers.

'Heeft hij je een boete gegeven voor verkeerd parkeren?' grinnikte Dimi.

Maar Witse schudde het hoofd. Hij las het briefje twee keer, verfrommelde het en stak het in zijn zak. De woorden stonden op zijn netvlies gebrand:

Het zilvervisje is uit de riool ontsnapt.

10

De dag liep naar zijn einde. Klokslag vijf uur nam Van Deun zijn jas van de haak, groette zijn collega Dams en wandelde naar zijn wagen. Tien minuten later volgde ook Dams. Het kantoor liep langzaam leeg. Witse echter maakte geen aanstalten om op te krassen. Hij dacht na.

Hij had die dag Albain Dictus moeten vrijlaten, die razend was geweest omdat hij zijn beloofde 1500 euro niet had gekregen. 'Ik heb je toch een mooie tip gegeven?' had Albain geroepen. 'De zaak is toch opgelost! Je hébt de moordenaar toch? Het is toch mijn fout niet dat hij niet meer ademt? Mooie vriend ben jij! Op mij moet je niet meer rekenen. Als ik nog eens iets weet, dan ga ik ermee op een ander. Voilà.'

En met slaande deuren was Albain weggelopen.

Hij had natuurlijk een punt. Het was zijn fout niet dat Delcroix vermoord was. Witse was kwaad geweest, hij had zich vernederd gevoeld ten overstaan van Van Deun en Keysers en hij had dat uitgewerkt op Dictus. Fair was het niet. Maar toch... Hij kon zich niet van de indruk ontdoen dat de zaken niet waren zoals ze leken. Zijn intuïtie zei hem dat Delcroix Fonteyne niet had vermoord.

Intuïtie, intuïtie... Hij hoorde Van Deun al spotten. En het was waar. Hij had op dit moment geen enkel aanknopingspunt. Behalve onopgeloste vragen. Waarom loog Patricia Fonteyne over het telefoontje dat ze had gekregen met de vraag om haar zilver terug te kopen? Was het toeval dat Delcroix stierf, de avond voor hij zou worden ingerekend?

Ilse Vandecasteele stak haar hoofd om de deur. 'Sluit jij af, Witse?'

Hij knikte.

Ze wilde doorgaan, maar aarzelde, en wandelde toen zijn kantoor binnen.

'Van Deun is me het één en ander komen vertellen. Hij heeft alles genoteerd wat er in Gaasbeek fout is gelopen.'

Witse knikte zonder op te kijken.

'En hij vertelde me dat u hem vanochtend te lijf is gegaan voor de woning van een slachtoffer van een moord.'

'Hij bespioneert me.'

'Dit is evengoed Van Deuns dossier als het uwe. Als u zich het recht toekent om op eigen houtje onderzoeksdaden te stellen, waarom vindt u dat hij dat niet heeft?'

'Hij was geen onderzoeksdaden aan het stellen. Hij zat me te bespioneren, om daarna aan u te kunnen klikken.'

'Witse... Je schat Van Deun lager in dan hij is. Hij is uw type niet, maar hij is een goede speurder. Ik weet zeker dat hij daar niet was om u op de vingers te kijken. Hij was daar op observatie. Vergeet niet dat hij zijn beroepseer heeft. Hij voelt het aan alsof u hem dit dossier hebt ontstolen.'

Witse keek op. 'En hij gelooft dat ik het nooit tot een goed einde kan brengen,' zei hij.

Ilse Vandecasteele was vertrokken. Enkel Witse en Dimitri waren achtergebleven. Nu stond Witse op en wenkte Dimitri.

'Ik heb het gevoel dat we niet alles weten over het dossier-Fonteyne,' zei hij. Hij rommelde in zijn zak en haalde er een sleutelbos uit.

'Er is maar één iemand die het hele dossier kent, en dat is Van Deun. Ik val nog liever dood dan het hem te vragen. Gelukkig heb ik door een gunstig toeval de sleutel tot zijn kantoor in handen gekregen.'

Hij rammelde met de sleutels en trok zijn wenkbrauwen uitnodigend op. Dimitri grijnsde en samen liepen ze naar Van Deuns hokje.

Het was onvoorstelbaar hoe keurig Van Deuns werkruimte was. Als ze niet beter wisten, dan zouden Dimitri en Witse denken dat hij de hele dag niets anders deed dan papiertjes op orde leggen, de juiste naam op de juiste fiche schrijven en stof afnemen. Zijn bureau verhield zich tot dat van Witse als een showroom van een meubelzaak tot een stortplaats.

'Moeilijk te vinden zal het dossier niet zijn,' zei Dimitri.

'De enige moeilijkheid wordt alles tot op de millimeter weer juist terug te leggen,' antwoordde Witse. 'Hij is in staat om het na te meten. "Dit dossier stond op twee centimeter van de rand en nu zijn het er twee-en-een-half! Wie heeft er in mijn archief gerommeld!"'

Witse imiteerde Van Deun meesterlijk. De twee schaterden.

'Wat een autist,' hoofdschudde Dimitri.

Het dossier stond inderdaad precies op de te verwachten plaats. Witse nam een rolmeter en mat hoeveel centimeter van de rand van het schap de map stond. 'Precies twee,' mompelde hij, en Dimitri schreef het op. Toen trok Witse de map tevoorschijn en begonnen ze te bladeren.

Het eerste halfuur vonden ze niets bijzonders. Het was het dossier zoals ze het kenden, met de foto's van net na de moord, de inventaris van het gestolen zilver, alle informatie over Fonteynes uitvinding en de pv's van alle verhoren.

Het was tussen die laatste dat Witse uiteindelijk toch vond wat hij zocht. Achter de pv's zat een plastic houdertje, met daarin een bruine envelop. Die had er de eerste keer niet bij gezeten, toen Van Deun hem het dossier overhandigde. Opgewonden klikte Witse de ringen van de map open, haalde het plastic mapje eruit, greep de envelop en opende ze.

'Dossier Roel Maenhout,' stond er in Van Deuns keurige handschrift. En daaronder: 'Dringend bewijs tegen hem vinden.'

'Van Deun denkt ook dat die jongen er iets mee te maken heeft,' zei Dimitri.

Witse knikte. 'En hij heeft het niet aan ons gegeven, omdat *hij* met de eer wil gaan lopen dat hij de zaak opgelost heeft.'

Hij bladerde door het dossier. Roel Maenhout was 16 en de zoon van Carla Maenhout. Zijn vader was gestorven in een ongeluk zonder getuigen. Hij was de dakgoot van Flor Fonteyne aan het herstellen, toen zijn ladder plots omsloeg en hij zijn nek brak. Roel was toen 14. Dat jaar gingen zijn schoolresultaten achteruit en werd hij opstandig, tot hij van school gegooid werd. Dat gebeurde nog enkele keren. Toen Flor Fonteyne overleed, nam de weduwe hem en zijn moeder in dienst. In de weekends en op woensdagmiddag was hij tuinman, al kwam hij ook tijdens schooltijd. De scholen protesteerden niet. De pv's van de verhoren blonken niet uit in duidelijkheid. Veel meer dan 'ja,' 'nee' en 'ik weet het niet' zei de jongen niet.

'Denk jij wat ik denk?' vroeg Dimitri.

'Ik denk zelden,' zei Witse.

'Die jongen heeft Fonteyne vermoord! Dat zie je toch! Fonteyne was de enige die erbij was toen zijn vader verongelukte. Of het nu waar is of niet, die jongen denkt dat Fonteyne zijn vader vermoord heeft. En hij neemt wraak!'

'En steelt voor 25.000 euro aan zilver.'

'Om het geloofwaardig te doen lijken!'

Witse humde. Hij dacht na. Het zou kunnen wat Dimi zei, het drong zich op, maar wat zich opdrong was daarom nog niet de waarheid. In ieder geval was het duidelijk dat Van Deun al lang dezelfde vermoedens had gekoesterd. Maar hij had geen enkel bewijs tegen de jongen kunnen vinden. Hem nu oppakken en hem met dezelfde vermoedens confronteren, zou niets opleveren.

Toen viel Witses oog op de lege plek op het schap in Van Deuns dossierkast, waar de map over Fonteyne had gestaan. Er lag een klein mapje. Witse nam het. Toen hij zag wat het was, werd hij wit van woede.

'Wat is er?' vroeg Dimi bezorgd.

Witse stak het mapje zonder iets te zeggen in Dimitri's handen.

'Mijn god,' zei die. '"Zestien oktober, W tien minuten te laat binnen. Zeventien oktober, W een uur te vroeg door. Twintig oktober, W dienstwagen genomen voor privé-gebruik. Tweeëntwintig oktober, W materiaallijst niet ingevuld."'

'Hier,' zei Witse razend. '"Eén november: W pistoollader achtergelaten in niet-slotvast afgesloten schuif." Niet-slotvast afgesloten! En het gaat over het hele jaar hé.'

Hij nam het mapje terug en bladerde tot aan het eerste blad.

'Al vanaf de derde dag dat ik hier werk noteert die achterbakse gluiperd elke fout die ik gemaakt heb. Uur, dag, plaats, namen, dossiernummers, het pietluttigste het eerst. Om wat mee te doen? Om mee naar het ijskonijn te stappen op een moment dat hem goed uitkomt. Om mij hier buiten te krijgen.'

'Waar die zich mee bezighoudt...' zuchtte Dimitri.

'Hier!' Witse liet de map bijna vallen van opwinding. 'Kop koffie achtergelaten op pv! Bruine koffierand op pv!'

Dimitri keek hem aan, en barstte toen onverwacht in schaterlachen uit. 'Dat doe jij inderdaad altijd!' gierde hij. 'Ik erger me daar ook vreselijk aan!'

Witse stond perplex.

'En je komt inderdaad schandalig te laat. Sta ik hier te schilderen. "Dimitri, waar is Witse? Is Witse er nog niet?"

O, en hier: "Vijf mei. Blaft zijn partner zonder reden af." Dat deed je toen! Waarom ben ik niet op het idee gekomen om zo'n lijstje aan te leggen?' En hij schaterde verder.

Witse keek beduusd, maar toen Dimitri bleef lachen, verdween zijn boosheid en begon ook hij te glimlachen. 'Het is goed, Tersago,' zei hij. 'Anders neem ik Dams en mag jij met Van Deun samenwerken.'

Hij stak de nota's weer in hun mapje en zette het keurig op zijn plaats. Daarna schoof hij de map over Fonteyne terug.

'Ik denk dat we morgen eens naar Brussel gaan,' zei hij. 'Ik moet er toch zijn. Als we die zaak oplossen, dan mag Van Deun schrijven wat hij wil...'

11

Brussel! Witse had gemengde gevoelens toen hij, na bijna een jaar afwezigheid, opnieuw in de stad rondliep. Twintig jaar misdaadbestrijding in de hoofdstad hadden ervoor gezorgd dat aan elke wijk herinneringen kleefden van bloedige afrekeningen en vreselijke persoonlijke drama's. Om van de zelfmoorden te zwijgen.

Witse was een beetje te vroeg voor de scheiding en deed dan maar een wandeling. Daar, in de oude, vuile sociale woningen van de Timmermanstraat, bengelde jaren geleden een oude Afrikaan over zijn balkon, opgehangen aan het snoer van zijn schotelantenne. Hij bleek een traditionele gebedsgenezer en was vermoord door de overspelige echtgenoot van een van zijn klanten. De dode had de vrouw een mengsel meegegeven van geplette kikkerogen, geperste spinnen en een fikse dosis rattenvergif, met de boodschap dat, als ze dàt in de koffie van haar ontrouwe wederhelft deed, hij huilend naar haar terug zou komen. De man had vooral kotsend boven het toilet gehangen, waarna hij zijn vrouw deed bekennen dat ze hem had proberen te vergiftigen. Daarop had hij wraak genomen op vrouw én gifmenger. De vrouw bengelde enkele straten verderop. Beide doden waren gedwongen hun eigen mengsel op te drinken voor ze opgehangen werden. De dader pleitte wettige zelfverdediging.

Op het Vossenplein glimlachte Witse bij de gedachte aan het Bakkens, de grootste oplichter die er in de hele stad te vinden was. Het Bakkens verkocht waardeloze rommel op de markt van het Vossenplein: verroeste schroeven, kroonkurken, rubbertjes die aan de onderkant van kroonkurken zitten, lipjes van drankblikjes, lekke binnenbanden... Door zijn grote mond – vandaar zijn bijnaam – slaagde hij erin die prullen te verkopen als waren het archeologische vondsten die eigenlijk in het British Museum thuishoorden. Toeristen, onder de indruk van de authenticiteit van het plein, lulde hij de kop zot, tot ze belachelijk hoge bedragen gaven voor wat in wezen afval was. De politie kende hem, maar hij deed niets verkeerd dus lieten ze hem begaan. Tot hij op een dag verdween, en enkele dagen later bezoekers van rommelmarkten verspreid over het Brusselse hysterisch naar de politie belden, omdat ze oude dozen, blikjes, flessen en kisten hadden gekocht waarin bij nader toezien stukjes van het Bakkens opgeborgen zaten. Twee derde werd zo van hem teruggevonden. Een collega rommelverkoper werd opgepakt. In zijn magazijn vonden ze nog twee oren en het bakkens van het Bakkens. De man heeft nooit willen zeggen waarom hij het gedaan had.

Zulke dingen gebeurden er niet in Halle, dacht Witse... Rustig dorp, rustige moorden. Gelukkig maar. Nu, meestal hier in Brussel ook niet. Moordenaars, zo hield hij zichzelf en anderen steevast voor, zijn gewone mensen. Ze moorden om banale redenen. Iedereen kan een moordenaar worden. Jij, hijzelf, iedereen. De freaks, de psychopaten waar kranten en televisie bol van stonden, waren een uitzondering.

Het deed Witse goed dat de verkopers op het Vossenplein hem nog kenden. Hij gaf ze allemaal een hand en praatte even met Yusuf, een Marokkaan die mutsen verkocht en af en toe informant was.

Witse keek op zijn horloge. Het was bijna tijd. Hij liep nog even de Blaesstraat in, waar hij verschillende van de brocantehandelaars goed kende (al had één van hen onlangs zelfmoord gepleegd omwille van een echtscheiding, de arme ziel). Hij tikte tegen de ruiten en wuifde. Sommigen kwamen buiten om kort enkele hartelijke woorden te wisselen. Witse was een politieman die zijn stad en haar inwoners goed kende. Zonde dat hij hier niet meer werkte...

De wandeling deed hem zijn angsten en verdriet vergeten. Hij had geen moeite om toe te geven dat hij nerveus was. Eén handtekening, en een huwelijk van dertig jaar ging in rook op. Eén handtekening... En wat als hij niet tekende? Als hij weigerde? Niet kwam opdagen? Als hij een valse handtekening zette? Wat gebeurde er dan? Hij zag Keysers' gezicht al, als hij binnen een jaar of zo de scheiding nietig liet verklaren, omdat die handtekening op dat document de zijne niet was...

Domme, zinloze gedachten. Hij zou er Doris verdriet

mee doen en ondanks zijn pijn wilde hij dat zij gelukkig was. Maar waarom bleef hij dan dromen dat hij Keysers vermoordde? Vier keer had hij het ondertussen gedroomd! Vier keer... Al een geluk dat hij zijn pistool vandaag niet bij zich had.

'Ik ben een magneet die geluk aantrekt,' mompelde hij voor zich uit. Het werkte niet.

En dan waren er nog de boodschappen van de Zilvervis. Witse wist niet hoe serieus hij die moest nemen, maar ze verontrustten hem niettemin. Wat als die gek inderdaad weer was opgestaan? Was hij dan nu in de buurt? Volgde hij hem? Was het wel veilig als hij Doris zo dadelijk zou zien? Moest hij haar op de hoogte stellen? Ach, waarom? Het zou haar enkel bang maken. Net nu ze eindelijk gelukkig was.

Zo in gedachten verzonken wandelde hij terug naar de Vossenstraat. De Hoogstraat bracht hem bij de lift, die hem tot op de hoogte van het imposante justitiepaleis bracht.

Doris was er al. Ze draalde op de immense trappen van het enorme 19de-eeuwse gerechtshof, dat was ontworpen om de kleine man ontzag voor de Wet in te pompen. Zelf een man van de wet, hield Witse niet van die opgeblazen en angstaanjagende grootheidswaan. De wet hoorde een mens niet te verpletteren. De wet was van de mens, zat in de mens, de wet was wat iedereen, of toch een meerderheid, spontaan als juist aanvoelde. Waarom geen sympathiek rijtjeshuis als gerechtsgebouw, zomaar in een gewone straat?

Maar goed, genoeg gepiekerd. Doris had hem gezien. Ze wuifde. Witse verbeet een opstoot van tranen, vermande zich, glimlachte en wuifde terug. Hij begon aan de beklimming van de trappen.

Nou, dat was snel gegaan. Een minuutje, langer had het niet geduurd. De rechter had hun namen gevraagd, ze hadden bevestigd dat ze inderdaad Witse en Doris Rosmalen waren, waarna de rechter vroeg of ze allebei nog altijd akkoord gingen met de inhoud van hun 'overeenkomst tot echtscheiding met onderlinge toestemming'. Ja hoor, dat deden ze. Waarna ze hun handtekening zetten en een afspraak maakten voor de volgende keer. Nu zaten ze wat onwennig tegenover elkaar in een taverne op de Zavel.

'Dat duurde niet lang hé,' lachte Doris verlegen.

'Nog geen minuut,' zei Witse. 'Als we wat oefenen kan het de volgende keer nog sneller.'

Doris grimaste. Ze wist nooit hoe je op grapjes van Witse moest reageren.

'Je gaat de volgende keer toch nog tekenen?' vroeg ze.

'Als ik nog leef wel ja.'

'Witse, denk goed na! Mijn advocaat kan bijna niet geloven dat je alles zomaar weggeeft.'

'Je mag alles hebben wat van ons is geweest. Wees gerust, ik kom er niet op terug.'

Doris glimlachte. Ergens voelde ze nog liefde voor die rare man. Maar ja... Hij was dik, en weinig attent, en met zijn werk getrouwd. Keysers was slank, sportief, mannelijk, hij leek op Jeremy Irons, haar favoriete acteur, en hij bracht elke week bloemen voor haar mee. Altijd dezelfde, en altijd evenveel en altijd op dezelfde dag, zodat ze vermoedde dat hij het in zijn agenda geprogrammeerd had – *vrijdag: tien rozen kopen voor Doris ten bedrage van vijf euro. Zaterdag: wekker vroeger zetten en ontbijt halen. Zondag: romantisch glimlachen, op voorhoofd kussen en zeggen 'wat zie je er stralend uit'* – maar niettemin, het was beter dan wat ze voordien had.

'Beloof me dat je gelukkig zult worden.'

Witse had zijn hand op de hare gelegd en keek haar doodernstig aan.

'Anders zeg ik niet "ja" de volgende keer.'

Doris keek hem verward aan. Ze was al aan het twijfelen en nu deed hij dit! Maar ze vocht ertegen. Ze had een beslissing genomen. Je kon toch niet je hele leven blijven piekeren? Ze zou gelukkig worden met Keysers. Het moest.

'Ja, Witse, ik beloof dat ik gelukkig word.'

Even verstarde Witses glimlach in een pijnlijke grijns. Toen werd zijn uitdrukking zachter. Hij liet zijn hand liggen waar hij lag, zij trok de hare niet terug. Zo zaten ze secondenlang in elkaars ogen te kijken. Wie hen niet kende, zou denken aan een pasverliefd koppel.

Dat was ook Keysers niet ontgaan. Hij was de taverne binnengekomen en vond het tijd om de tortelduifjes te onderbreken. Hij had zoveel moeite moeten doen om Doris te verleiden, die rare Witse zou hem die vangst niet meer afpakken. Hij kuchte luid. Doris en Witse lieten elkaar los en Doris stond op.

'Nu, tot de volgende afspraak dan maar.'

Witse knikte enkel.

'Denk aan wat je beloofd hebt,' zei hij.

Ze lachte. Hij draaide zijn hoofd en staarde door het raam tot de twee gelukkigen uit het oog verdwenen waren. Doris is gelukkig, hield hij zich voor. Ze is een magneet die geluk aantrekt. Nu ik nog.

12

De hoeren achter de vitrines van de Aarschotstraat in Schaarbeek lachten en wuifden naar Witse. Ja, dat deden ze natuurlijk naar elke man die daar liep, maar naar hem klokten ze niet, hem wenkten ze niet met één vinger, naar hem maakten ze geen uitdagende bewegingen met hun heupen. Hun glimlach was er één van begroeting. Ze herkenden hem. Gewoon, als de politieman die hier voor enkele zaken onderzoek had verricht! (Zo legde hij verontwaardigd uit aan Dimi. Dat de jongen niets verkeerds dacht.) Sommigen wendden met opzet hun gezicht af – vele prostituees stonden uit principe afkerig tegenover politie – maar de meesten kenden hem als een man die hen eerder beschermde dan dat hij hen het leven zuur maakte.

'Clarissa hier' – Witse wees op een raam – 'heeft ons fantastisch geholpen in een onderzoek naar een eremoord op een van haar vriendinnen. Het meisje, Fatima, werkte een paar ramen verder. Ze was Marokkaans, al wist niemand dat hier. Haar haar was geblondeerd en ze had van nature een blanke huid. Van haar agressieve man weggelopen, verstoten door de familie, noodgedwongen in de prostitutie. Haar broer had haar gevonden en de keel overgesneden. Maar ontkennen als geen ander! En huilen! Heel die familie weende alsof ze zich collectief van een rots zouden werpen. En zo'n goeie dochter! En waarom zijn ze naar dit land gekomen?! Tot Clarissa hier zei – en in de rechtbank verklaarde – dat Fatima al jaren op de vlucht was voor haar broers...'

Witse bleef voor Clarissa's raam dralen. Dimitri wist niet

welke houding hij zich moest geven. Toen hij Witse had opgepikt in het café aan het Justitiepaleis, had hij al gemerkt dat zijn chef zichzelf niet was. Witse straalde altijd wel een zekere melancholie uit, maar nu was die haast tastbaar. Heimwee naar zijn voorgoed voorbije leven in Brussel, verwarring om het intieme moment met Doris en gedrevenheid om de zaak van de roofmoord tot een goed einde te brengen... je kon het allemaal van zijn gezicht aflezen.

'Ik wil haar een paar vragen stellen.'

'Ze is er niet,' zei Dimi.

'Ze is met een klant.'

'We gaan toch niet voor de deur wachten tot die buitenkomt.'

'Hmm?' Witse keek verbaasd op. 'O... Juist. Nee, dat zou niet erg kies zijn.'

De twee wandelden naar de overkant van de straat, waar ze tegen de spoorwegmuur wachtten. Na enkele minuten kwam een verfomfaaide man buiten, met het hemd nog uit de broek. Hij had een zonnebril op en leek beschonken. Toen hij Witse en Dimitri aan de overkant zag staan, leek hij even te schrikken. Toen waggelde hij de straat uit, waarschijnlijk naar het dichtstbijzijnde café.

Witse wandelde zonder scrupules Clarissa's werkruimte binnen.

'We zijn gesloten!' brulde een vrouw in het Frans vanuit een kamer achteraan. 'Buiten wachten tot het gordijn opengaat! Of wil je in het sop van je voorganger waden?'

'Liever niet, maar een koffie wil ik wel,' riep Witse terug.

Een deur achteraan in de kamer scharnierde een beetje open en een vrouw van middelbare leeftijd liet haar hoofd zien. Ze schrok toen ze Witse zag.

'Koffie is extra,' bromde ze. 'Kun je na de uren terugkomen? De klanten vinden er niet veel aan als de flikken hier ook hun kruit komen verschieten.'

Dimitri draaide zich gegeneerd om. Maar Witse glimlachte.

'Ze zouden er nog minder aan vinden als de politie het hier kwam verzegelen.'

Clarissa aarzelde. Dan spuwde ze op de grond. 'Fils de putain!' Haar hoofd verdween, Witse en Dimitri hoorden gevloek en gesakker, maar daarna verscheen Clarissa, gekleed in een rood niemendalletje. Dimitri wist niet waar te kijken.

'Ik heb gehoord dat je wegbent bij je vrouw. Is 't voor die schone jongen daar?'

Witse trok zijn wenkbrauwen op.

'Of is 't daarvoor dat ge hier zijt?' ging Clarissa verder. 'Zijt ge ineens aan *speciallekes* toe? Sorry makker, twee venten tegelijk, dat doe ik niet meer.'

Witse glimlachte kort, keek dan vermoeid, stond op en duwde Clarissa hardhandig in de zetel.

'Het is goed, het is goed,' zuchtte ze. 'Wie moet ik vandaag verklikken?'

'Niemand,' zei Witse. 'Ik wil alleen weten of je deze jongen kent.'

Hij liet haar een foto zien van Roel Maenhout.

'Die is te jong om hier te mogen komen.'

'Vraag je hun rijbewijs tegenwoordig?'

'Witse! Kijk naar mij! Gaat een jongen van die leeftijd naar een oude hoer als ik om aan zijn gerief te komen?'

'Ik vraag niet of hij hier komt neuken, ik vraag of je hem ként. Heb je hem hier in de buurt al gezien? Op café, op straat, bij één van je collega's? Komt dit gezicht je bekend voor?'

'Je weet dat ik nooit naar gezichten...'

'Clarissa Du Bois!'

Witse maakte zich zo breed mogelijk en ging voor de vrouw staan, die nu klein en fragiel leek. 'Ik ben een moord aan het onderzoeken. Je weet dat ik alles hier direct kan laten verzegelen als je niet meewerkt.'

'Je werkt niet eens meer voor de Brusselse politie! Uw baas is met uw vrouw weg. Ik denk niet dat hij nog naar u gaat luisteren. Mag je hier eigenlijk wel zijn?'

'Je kunt het altijd uitproberen,' zei Witse. 'Maar ik beloof je, als ik hier buitenga zonder dat ik een antwoord van je gekregen heb, dan staat morgen én de politie én de belastinginspectie én elke andere dienst van dit land hier voor de deur, en doe uw boetiek dan maar dicht.'

Clarissa keek hem razend aan. Witse was weer gaan zitten. Zijn woede leek verdwenen. Hij glimlachte vriendelijk en verwachtingsvol.

Clarissa spuwde op de grond.

'Hij komt op het Fontainasplein,' zei ze.

'Klant?'

Ze schudde haar hoofd. Witse knikte. Meteen verscheen er weer zo'n brede glimlach. 'Dankjewel Clarissa.'

'Je moet praten met Giorgio. De vent die voor jullie buitenging. Die kent veel van die jongens. Je vindt hem in de Funky Chicken.'

Witses glimlach werd nog breder. Hij gaf Clarissa zelfs een zoen.

'Echt een hele goeie vriendin van je, die je met plezier helpt,' zei Dimitri schamper, toen ze weer door de grauwe Aarschotstraat liepen. Er denderde een trein voorbij. Witse schokschouderde en koos om de ironie te negeren.

'We weten wat we aan elkaar hebben,' zei hij. 'Met goede afspraken maak je de beste vrienden.'

'Wat zei ze over dat plein?'

'Het Fontainasplein is berucht voor jongensprostitutie.'

'Je bedoelt dat die Roel...'

'Dat is wat zij beweert.'

'Zo'n lelijkerd!'

Witse keek Dimitri treurig aan. 'Ik denk dat hij er één van de mooiste jongens is. Hij verdient er vast meer dan als tuinman.'

De Funky Chicken was een grauwe kroeg in het hart van de Brusselse hoerenbuurt, waar de klanten eruitzagen alsof ze er al veertig jaar onafgebroken zaten te zuipen. Aan hun doorgroefde, troosteloze gezichten te zien, de bloeddoorlopen ogen, de dikke trillende lippen en zwarte tanden, leek het meer dan waarschijnlijk dat ze vandaag nog allemaal het loodje zouden leggen. Dimitri geloofde zijn ogen niet. Dit hadden ze hem nooit geleerd in zijn studies criminologie. Dit soort taferelen zag je nooit in Halle.

De cafébaas knikte hen toe en zei: 'Ik dacht dat je weg was uit Brussel, Witse? Zat uw baas niet op uw wijf?'

'Ik ben blij dat je nog even discreet bent als vroeger,' grijnsde Witse.

'Mooie collega's heb jij,' mompelde Dimitri. 'Ze hebben het godverdomme in heel Brussel lopen rondvertellen.'

'Ik had niet anders verwacht,' zei Witse.

Hij keek rond in het café. Niemand scheen hem op te merken. Dimitri onderdrukte zijn walging, toen hij een van de mannen een fluim op de grond zag mikken.

Witse had gevonden wie hij zocht: de dikke man met de zwarte zonnebril, die net voor hun komst zijn verlichting bij Clarissa had gevonden. Hij stapte op hem af. Dimitri volgde.

Franky Smegghe en Giorgio Goossens waren dronken, maar niet zo erg dat ze niet merkten dat een van de twee mannen die op hen afkwamen, commissaris Witse was. Hun doelwit! Het onderwerp van hun artikel!

'Middag heren,' zei Witse.

Giorgio begon te giechelen. Smegghe gaf hem een trap onder tafel.

'Heren, ik merk dat u druk bezig bent,' glimlachte Witse. 'Ik zal u niet lang storen. Ik ben commissaris Witse van de Federale Politie. Ik ben bezig met een onderzoek en u zou mij enorm kunnen helpen als u me zou kunnen zeggen of u deze persoon kent.'

Witse legde de foto van Roel op tafel. Goossens trok wit weg. Hij herkende de jongen meteen. Hij probeerde Roel al maanden te overtuigen bij hem in te trekken, iets wat die halsstarrig bleef weigeren. Slechts met veel moeite – en dankzij nog een trap van Smegghe – wist Goossens zich te beheersen. Hij schudde gespeeld ongeïnteresseerd het hoofd.

'U kent de jongen op de foto niet?' vroeg Witse.

Smegghe trok de foto naar zich toe en bestudeerde hem. Natuurlijk kende hij hem. Giorgio nam de jongen soms mee naar de redactie. Hij had hem zelfs een baantje proberen te bezorgen als redactiesecretaris. Smegghe hield zijn voet ferm op die van Goossens gedrukt, om hem in bedwang te houden.

'Nee, sorry commissaris,' zei Smegghe.

Witse knikte opnieuw. Dan glimlachte hij plots, zo onverwacht dat Smegghe schrok en zich onbehaaglijk voelde.

'Dan laat ik u verder met rust,' zei Witse. 'Veel sterkte nog.'

'Wat een rare vogels!'

Dimitri genoot van de buitenlucht. Wat een ranzige kroeg was dat! Hij zoog zijn longen vol en schudde het hoofd over zoveel tristesse.

Witse was in gedachten verzonken. Een van de twee mannen was degene die hij bij Clarissa had zien buitenkomen, dat wist hij zeker. Clarissa had gezegd dat hij Roel kende, en meestal was zij betrouwbaar. Hij voelde dat de mannen logen, toen ze zeiden dat ze Roel nooit eerder gezien hadden.

Op dat moment ging de gsm van Witse.

'Ja Rita?' – Rita van de balie, deed Witse teken – 'Wie is er? En ze wil mij persoonlijk spreken? Ik zit nu in Brussel, maar we komen meteen. Zeg dat ze een halfuurtje wacht.'

Witse klikte zijn gsm uit en glimlachte tegen Dimitri. Zijn angst en somberheid schenen verdwenen.

'Het gaat sneller vooruit dan we hadden kunnen denken.'

13

Carla Maenhout zat bang en onzeker op de stoel die Witse haar net had aangeboden. Hoewel hij haar probeerde gerust te stellen, trilde Roels moeder als een espeblad. Voor haar, op de tafel, lag een rood fluwelen juwelendoosje. Het was opengeklapt. Er lag een duur halssnoer in. Als Witse zich niet vergiste was het van goud, en waren er diamanten in verwerkt.

'En dat lag in de kamer van Roel,' zei Witse.

Carla knikte.

'Weggestopt in zijn schuif,' ging Witse verder. 'Wat zegt uw zoon daar zelf van?'

'Hij is deze nacht weer niet thuisgekomen! Ik weet nooit waar hij uithangt. Dan komt hij thuis slapen, dan weer niet... Ik kan niet tegen hem op.'

De vrouw barstte in snikken uit. Witse legde troostend zijn handen op haar schouders en keek Dimitri aan. Ze dachten allebei hetzelfde: laten we deze vrouw maar niet vertellen wat haar zoon uitspookt.

'U denkt dat hij dit gestolen heeft van mevrouw Fonteyne?'

'Natuurlijk! Ik ken die collier toch! Ze heeft hem van haar man, van Flor gekregen.'

'Mag ik u iets vragen, mevrouw Maenhout? Waarom komt u hiermee naar ons? Waarom geeft u haar dit niet gewoon terug?'

'We hebben nu werk,' zei Carla Maenhout. 'Als ze ons buitenzet... Wat moet ik dan met die jongen aanvangen?'

Witse knikte en wandelde wat rond door zijn kantoor. Hij liet met opzet een stilte vallen. Hij had medelijden met haar, maar het kwam hem ook goed uit dat ze onder spanning stond.

'Is dat de enige reden waarom u ons dit laat zien?' vroeg hij.

Carla beet op haar nagels en begon aan haar ring te draaien.

'Of is er nog iets anders, mevrouw Maenhout?'

Witse ging voor haar staan en glimlachte zijn meest innemende glimlach.

'Gaat u mijn zoon ondervragen?' vroeg Carla.

'Ja.'

'Ook over vorig jaar? Over Flor?'

'Ja.'

'Ik wou maar zeggen: het is niet omdat hij nu iets fout doet, dat hij in staat is om iemand, om... Ik dacht: als Patricia over die collier tegen u begint, dan gaat u zeker denken dat onze Roel tot meer in staat is en dat is niet waar! Daarom ben ik hier. Verstaat u dat?'

Witse knikte. Hij glimlachte weer en zei heel warm: 'Natuurlijk begrijp ik dat, mevrouw Maenhout. We zullen er zeker rekening mee houden. Maar nu u hier toch bent, zou ik u iets anders willen vragen.'

Carla Maenhout leek gerustgesteld. Er was een pak van haar hart.

'U leeft elke dag in de villa van mevrouw Fonteyne,' zei hij.

Ze knikte.

'Is er de laatste dagen of weken geen telefoon geweest in verband met de inbraak van vorig jaar en de moord op haar man?'

Carla keek weg. Ze werd weer nerveus.

'Van iemand die een aanbod deed om haar zilverwerk terug te kopen?'

Witse zei het met zijn warmste, meest geruststellende stem. Het werkte. Carla keek hem aan. Ze knikte haast onmerkbaar.

'U hebt zo'n gesprek gehoord?'

Weer die bijna onmerkbare knik.

'Ik stond de gang te schuren,' vertelde ze aarzelend. 'De deur stond open.'

'Wat zei Patricia?' vroeg Witse.

'Dat het zilver haar niet kon schelen. "Probeer het maar op een ander! Doe ermee wat je wil!" riep ze.'

Witse keek veelbetekenend naar Dimi.

'Vond u dat niet vreemd?' vroeg hij.

Carla zweeg.

'Tegen ons zei ze dat er nooit zo'n gesprek geweest was. Hebt u enig idee waarom ze daar over zou liegen?'

Carla begon weer aan haar ring te draaien.

'Waar was uw zoon op dat moment?' vroeg Witse. Zijn warme toon was verdwenen.

'Thuis,' zei Carla verbouwereerd.

'Niet in de villa?'

Carla Maenhout besefte plots de draagwijdte van wat ze gezegd had. Ze trok haar ring van haar vinger en deed hem weer aan. Het zweet brak haar uit.

'Wat was eigenlijk de reden waarom Patricia u en uw zoon in dienst genomen heeft, na de dood van haar man?' ging Witse verder.

'Omdat ze alleen was. Ze kende ons. Mijn man werkte voor Flor toen hij verongelukte en Patricia wist dat Roel het daar moeilijk mee had. We waren allebei weduwe...'

Witse knikte. Hij nam de thermos koffie en schonk Carla bij. Een oude truuk; het schiep warmte en huiselijkheid, en een zekere verplichting om nog even te blijven.

'Hebt u enig idee waar uw zoon nu kan zijn?' vroeg hij.

Carla keek verrast op. Ze schudde het hoofd.

'Waar was hij drie dagen geleden rond elf uur 's avonds?'

Carla's blik werd schichtig.

'Ik had hier nooit mogen komen,' zei ze. Ze keek naar haar koffie. 'Wat doe ik hier?'

Witse glimlachte. 'Rustig. Drink wat van uw koffie. Dan

zullen we eens op het gemak kijken wat we hiermee doen.'
Hij nam het halssnoer en stak het op zak.

Carla Maenhout zat angstig in Witses kamer. Witse zelf stond op de gang, voor de koffie-automaat, te wachten tot dat ding een plastic bekertje zou uitspuwen en dat vullen met veel te slappe, korrelige koffie. Hij dronk er te veel van, maar vandaag was niet de dag om ermee te stoppen.

'Ha Witse,' zei Ilse Vandecasteele. 'Paul Keysers heeft net gebeld.'

Witse veranderde zijn houding niet. Hij wachtte af.

'Hij vroeg of je nog nieuws had over de moord op Delcroix.'

Witse trok het onwillige bekertje uit de machine. Hij roerde de melk door zijn koffie met zo'n belachelijk dun plastic staafje. Pas nadat hij gedronken had en een vies gezicht getrokken, zei hij: 'Ik dacht dat die moord volgens hem opgelost was? Hij had een verdachte met een motief.'

'Die verdachte wil niet bekennen,' zei Vandecasteele.

'Dat hij hem foltert. Als je ze foltert, dan bekennen ze alles.'

'Witse, serieus! De Federale Politie van Brussel en die van Halle werkten goed samen. Het is niet omdat er een persoonlijk conflict is tussen u en Paul Keysers dat die samenwerking op de helling moet komen te staan!'

Witse nam het plastic roerstaafje en brak het. Hij gooide de stukken in het vuilbakje naast de koffie-automaat.

'Zeg tegen Paul Keysers dat ik hem morgen of overmorgen zijn dader zal brengen. En zeg hem dat hij een sukkel is die niet kan zoeken.'

'Dams!'

De slome partner van Van Deun was onder zijn bureau iets aan het zoeken toen Witse hem riep. Hij schrok zo dat hij rechtveerde en zijn hoofd stootte. Witse kreunde binnensmonds. Met wat voor slapstickfiguren moest hij hier moorden oplossen?

'Roel Maenhout. Ken je die?'

Dams knikte, terwijl hij met zijn hand over zijn hoofd wreef.

'Het Fontainasplein in Brussel, ken je dat?'

'Is dat waar die...' Hij sloeg met vlakke hand op een vuist en grinnikte vettig.

'Ja, Dams, dat is daar ja.' Witse rolde geërgerd met zijn ogen. 'En pas maar op dat je die beweging daar niet maakt of je wordt verkracht.'

Dams keek verschrikt. 'Wat bedoel je? Moet ik daar naartoe?'

'Je gaat Roel Maenhout daar halen.'

'Maar dat is Brussel... Moet de Brusselse politie dat niet...'

'Paul Keysers heeft net gebeld om te zeggen dat hij op jou rekent om hem te redden.'

Dams kon niet beslissen of hij dat nu moest geloven of niet. Het zou aandoenlijk geweest zijn, als het niet zo zielig was.

'En Van Deun?' vroeg Dams. 'Moeten we hem niet zeggen dat jij die jongen verdenkt? Het is zijn dossier.'

'Het is zijn dossier dat hij moedwillig heeft achtergehouden om zélf met alle pluimen te kunnen gaan lopen. Maar doet hij er iets aan? Heeft hij bewijzen? Nee? Wel, dan mag jij de bewijzen voor hem gaan zoeken.'

'Jamaar...'

'Dams, volwassenheid, zegt je dat iets?'

Dams glunderde. Eindelijk een vraag die hij kon beantwoorden!

'Ja Witse. Volwassenheid betekent: verantwoordelijkheid nemen.' Hij zei het alsof hij een examenvraag beantwoordde.

'Zou je daar dan niet eens mee beginnen?' zei Witse. 'Allez vort. En als Van Deun moeilijk doet, schuif de schuld dan maar in mijn schoenen. Ik ben dat gewend.'

14

Terwijl Dams naar Brussel was, reden Witse en Dimitri opnieuw naar de villa van Patricia Fonteyne. Misschien was de jongen gewoon daar? En zelfs al was hij er niet, dan nog hadden ze nog enkele prangende vragen voor de weduwe.

Nog voor de bel zijn klassieke deuntje helemaal had afgespeeld, werd de deur opengedaan door een bevallige jonge vrouw met een vrolijke uitdrukking op haar gezicht. Ze had één vinger in haar mond maar praatte niettemin aan één stuk door.

'Goedendag! U komt voor mijn moeder zeker. Ik ben de dochter. Tigla, aangenaam. Tigla Fonteyne. Sorry dat ik hier zo onnozel met mijn vinger in mijn mond sta maar ik heb net in mijn hand geprikt. Ik ben moeders kleren aan het verstellen, zie je. Ik was een nieuw kleed aan het afspelden en ik schrok vreselijk van de bel. Ik ben kleermaakster. Ontwerpster, enfin. Maar kom binnen, kom binnen. Al die dingen willen jullie natuurlijk niet weten!'

Glimlachend volgden Witse en Dimitri de babbelkous naar binnen. Tigla's komst had het huis goed gedaan. Ze had een paar ramen opengedaan en van sommige meubels zelfs de witte overtrekken afgetrokken. De sombere villa zag er een pak bewoonder uit.

Ook Wilfried Offermans, de kille yup in maatpak, was er. Dus die vervelende kerel is met dat vrolijke mooie meisje getrouwd, dacht Witse hoofdschuddend. Hij zou vrouwen nooit begrijpen. Ze hadden wel twee leuke kinderen. Die speelden in de woonkamer. Hun moeder wees hen lachend terecht: 'Maar kinderen! Ga ergens anders spelen. Mama heeft zich al een keer geprikt. Jullie willen toch niet dat ik een speldenkussen word?'

Patricia Fonteyne stond op een stoel in een felrode jurk, die Spaans aandeed. De bloedrode weduwe domineerde de kamer. Ze keek verstoord omdat Witse en Dimitri haar alweer een bezoek brachten.

'Ik dacht dat de zaak geklasseerd was,' zei ze.

Witse glimlachte. 'Jaja. Bijna. We hebben nog wat vragen. Maar we wachten wel.' Hij wees op Tigla, die weer aan het afspelden geslagen was.

'Tigla ontwerpt al jaren mijn kleren,' zei Patricia. 'Binnenkort heeft ze in Brussel haar eigen boetiek.'

'Ma, dat kan nog jaren duren!' protesteerde Tigla. 'Sta liever een beetje stil.' Tot Witse zei ze: 'Dit kan nog even duren hoor. Stel gerust uw vragen.'

'Misschien is het nogal delicaat,' zei Witse.

'Mogen we het niet weten of wat?' zei Wilfried Offermans bazig. Witse kneep zijn ogen dicht van ergernis. Waarom had die leuke vrouw voor die vreselijke man gekozen?

'Goed, zoals u wenst,' zei Witse. 'Het betreft dat telefoongesprek waarover we het eerder hadden. Het aanbod om uw zilverwerk terug te kopen.'

De mond van de yup viel open. Tigla keek stomverbaasd op. Patricia werd ijzig kalm.

'We zouden graag weten waarom u dat aanbod hebt afgeslagen,' ging Witse verder. 'En vooral: waarom u daarover tegen ons hebt gelogen.'

'Wablieft?' Wilfried Offermans veerde op. Hij liep naar zijn schoonmoeder. 'Dat zilver is meer dan 25.000 euro waard! Je had dat voor misschien een tiende van de prijs kunnen terugkopen! Zo'n kans krijgen en...'

'Kun jij aan niets anders denken dan aan geld!'

Patricia leek nu echt een toornige wraakgodin, met haar wapperende rode kleed op de stoel, scheldend tegen haar schoonzoon.

'Het was mijn zilver! Het is mijn leven! Ik weet dat jij nooit hebt kunnen verkroppen dat wij ons leven leiden zoals we het doen, maar zolang ik leef neem ik de beslissingen over wat er gebeurt in mijn huis!'

Wilfried deed een paar stappen achteruit maar bleef geïrriteerd mompelen dat hij het niet kon geloven. Tigla probeerde haar verschrikte kinderen de kamer uit te manoeuvreren.

'Ik denk niet dat we hier kunnen praten,' zei Witse zacht. 'Wil u met ons meekomen?'

Patricia Fonteyne keek Witse hooghartig aan. Toen stapte ze van haar troon. Met een laatste vernietigende blik op haar schoonzoon zei ze: 'Het eten voor de kinderen staat in de ijskast.'

'Ik trek even iets anders aan,' zei ze tegen Witse, en liep naar de kamer ernaast.

Patricia Fonteyne zat trots en zelfzeker in de verhoorkamer. Witse en Dimitri zaten aan de andere kant van de tafel.

'Er is dus wel degelijk een telefoontje geweest. Met een aanbod om uw zilver terug te kopen. Vreemd dat u daarover gezwegen hebt. Of gelogen.'

'Ik leef al veel langer met leugens, commissaris. Al sinds we multimiljonair werden.'

'Sinds uw man fortuin maakte met zijn waterfilters. Moet een knappe uitvinding geweest zijn.'

'Heel knap ja... Alleen was het zijn uitvinding niet...'

Witse fronste. Patricia Fonteyne zweeg lang. Witse onderbrak die stilte niet. Hij wist dat ze zou praten.

'Toen mijn man vorig jaar vermoord werd, heb ik direct zijn kluis in de bank leeggemaakt. Om zijn waardepapieren uit handen van de fiscus te houden, u weet hoe dat gaat. Er lag een omslag bij met aantekeningen, plannen en schetsen van die filters... Ik zag meteen dat het zijn handschrift niet was. Het was dat van Marcel, Carla's man.'

Witse glimlachte. Hij dacht dat hij het begon te begrijpen.

'Marcel was niet alleen assistent van mijn man. Hij was ook uitvinder. Amateur hé... Hij kon avonden en weekends lang in zijn atelier zitten. Niemand wist waar hij mee bezig was. Marcel was nogal een rare. Carla heeft het niet simpel gehad met hem.'

'En na Marcels dood heeft uw man de plannen ontvreemd,' zei Witse.

Patricia knikte.

'Hij heeft de uitvinding op poten gezet,' ging Witse verder, 'een patent genomen, en alles verkocht. Kassa!'

'Zo zijn wij rijk geworden, ja,' zei de weduwe. 'Alles wat we hadden was gebaseerd op bedrog, op diefstal, op oplichterij! Ik was mijn man kwijt en wat kreeg ik in de plaats? Een bedrieger! Daar moet ik mee verder leven. Begrijpt u nu waarom ik daar niet meer wil wonen? Waarom ik daar alles afdek? Wat kunnen mij al die juwelen schelen, het zilver, dat huis? Het is niet van ons!'

Dimi stond op van zijn stoel in de hoek van de kamer, van waar hij het gesprek observeerde, en liep naar Patricia toe.

'En daarom hebt u Carla en Roel in dienst genomen,' zei hij.

'Ik moest toch iets doen om het goed te maken? Die jongen had geen vader meer. Hij had het al zo moeilijk!'

'U had de waarheid kunnen zeggen,' zei Dimitri hard. 'Daar hadden ze recht op.'

Er viel een geladen stilte. Dimitri ging boos weer op zijn stoel zitten. Witse dacht na. Hij nam zijn stoel en zette die naast Patricia. Hij ging zitten. Hij zat zo dicht dat hij zijn arm over haar zou kunnen leggen.

'Hoe is Marcel eigenlijk gestorven?' vroeg hij zacht, met zijn meest begripvolle stem.

'Dat was een ongeluk!'

Ze zei het te luid, dat besefte ze zelf ook meteen. Witse knikte begrijpend, als een volleerd psychiater. Hij nam het pv erbij.

'Tijdens herstellingswerken van de ladder gevallen. Dubbele schedelfractuur. Het is gebeurd op uw vroegere adres. Een reparatie aan de dakgoot van het atelier van uw man.'

Hij liet een stilte vallen en stond op. Hij wandelde rond de tafel en ging aan de andere kant naast Patricia Fonteyne staan.

'U was niet thuis toen dat gebeurde.'

Patricia keek angstig op.

'Het was een ongeluk,' herhaalde ze, aarzelend nu.

'Maar niemand heeft het gezien. Er waren geen getuigen. Marcel en uw man waren alleen.'

De weduwe onderdrukte een snik.

'U hebt dikwijls aan dat ongeluk teruggedacht he?' zei Witse, opnieuw met zijn begripvolle stem. 'Sinds u weet hoe uw man aan zijn uitvinding was geraakt, is het in uw hoofd blijven spoken. Er is een veel erger idee bij u opgekomen... Misschien hadden die twee mannen ruzie gemaakt. Misschien had Marcel ontdekt dat Flor hem zijn uitvinding wou afpakken. En misschien is Marcel toch niet toevallig van die ladder gevallen... Misschien was het moord. Dat speelde door uw hoofd.'

Patricia verborg haar gezicht in haar handen. Witse ging door: 'Daarom mochten Carla en Roel niet weten dat het eigenlijk Marcel was geweest die die uitvinding had gedaan. Omdat zij dan misschien ook aan moord zouden beginnen denken!'

Patricia sprong op.

'Begrijp je het nu? Ik kan zelfs geen foto van Flor zien zonder te denken dat hij misschien... dat hij Marcel zou...'

Ze barstte in huilen uit. Witse legde zijn arm rond haar. Professioneel troostend, al moest hij toegeven dat het hem goed deed om nog eens een vrouw te kunnen omarmen, hoe onschuldig zijn gebaar ook was.

Het intimistische moment werd afgebroken doordat zijn telefoon ging.

'Witse? Met Dams.'

Van Deuns hulpje vertelde dat hij Roel gevonden had tussen de hoertjes op het Fontainasplein.

'Je bent toch nog maagd?' grinnikte Witse.

Hij genoot van Dams verontwaardigde reactie.

'Zorg dat hij morgen op mijn bureau is. Als hij niet wil, zeg dan dat we hem oppakken. En dat we zijn moeder zullen vertellen waar hij rondhangt.'

Dams antwoordde bevestigend. Tevreden legde Witse op.

'Carla's zoon... Roel,' zei Dimitri. 'Wist hij dat uw man die uitvinding had gestolen van zijn vader?'

Patricia haalde haar schouders op.

'Was hij erachter gekomen? Heeft hij er misschien met u of uw man over gepraat, toen die nog leefde? Heeft hij bedreigingen geuit? Was hij eropuit om wraak te nemen?'

Patricia antwoordde niet. Witse nam over. 'Roel Maenhout komt dikwijls in Brussel, wist u dat? We gaan hem morgen ondervragen. Als u informatie hebt die ons kan helpen bij die ondervraging, dan zouden we u zeer dankbaar zijn als u die ons kon geven.'

Maar Patricia schudde het hoofd. Ze gaf geen antwoord. Ze begon alleen opnieuw te huilen. Ditmaal troostte Witse haar niet.

15

Witse werd gewekt door de telefoon. Hij was weer met zijn kleren aan in slaap gevallen. Er steeg een zurige lucht op uit zijn hemd. Zijn kin en borst kleefden. O jee, ingedommeld met het bierblikje nog in de hand. Het bier was over zijn buik en broek gestroomd en hij was er niet eens wakker van geworden.

Vloekend ging hij rechtop zitten. De telefoon bleef rinkelen, maar voorlopig interpreteerde Witses versufte brein het geluid enkel als hinderlijk lawaai, niet als een signaal dat hij op zoek moest gaan naar het toestel en de oproep beantwoorden.

Hij zat in de zetel. Mooi was dat: weer niet in zijn bed geslapen. Waarom had hij dat ding eigenlijk gekocht?

Walgend knoopte hij zijn hemd los en trok het uit. Hij gooide het in de richting van de badkamer, waar de mand met vuile was stond. Als hij straks in de buurt was, zou hij het hemd wel in de mand steken. Hij ritste zijn broek open en deed ook die uit. Somber keek hij naar zijn buik, die er van bovenaf bekeken weinig aantrekkelijk uitzag. Welke vrouw wilde zo'n man?

Wat was toch dat helse lawaai dat maar bleef aanhouden? Witse concentreerde zich. Het klonk als... een telefoon.

Het duurde nog tien volle seconden voor Witse besefte wat hij moest doen. Kreunend stond hij op en strompelde in zijn onderbroek en sokken in de richting van het geluid. Of in ieder geval vanwaar hij dacht dat het geluid kwam. Het leek wel van overal te komen. Waarom legden die ellendelingen niet gewoon in?

'Stuur een e-mailtje!' riep Witse door zijn woonkamer. De telefoon antwoordde met nog meer gerinkel.

Uiteindelijk had Witse het ding gevonden, uiteraard onder een berg kleren. Hij bleef nog drie rinkels kijken zonder op te nemen. 'Leg in,' mompelde hij. 'Leg in leg in leg in.'

Maar men legde niet in. Ten einde raad nam Witse op.

'Witse.'

'Goedemorgen commissaris. U spreekt met Frank Smeghe, *Het Blad van Brussel*, het meest gelezen dagblad van onze hoofdstad. Hebt u een momentje voor mij?'

Witse schraapte zijn keel. 'Nee,' zei hij.

'Wij hebben vernomen dat u bezig bent met het onderzoek naar de moord op Matthieu Delcroix, notoir gokker, woekeraar en afperser, en een van de Peetvaders van België, zoals al in ons boek te lezen stond. Uiteraard zijn onze lezers bijzonder geïnteresseerd in de afloop van deze zaak. De burger heeft het recht om in een veilige stad te wonen waar dergelijke misdaden niet gebeuren, en als ze toch gebeuren, dan heeft de burger het recht om volledig geïnformeerd te worden over hoe de politie de daders denkt te vatten. Ik neem aan dat u het volledig met ons eens bent. Politie en media, wij staan aan dezelfde kant: die van de kleine man in de straat, de gezagsgetrouwe burger.'

Witse rochelde.

'Wij vroegen ons af of u ons kon vertellen hoever u staat met het onderzoek,' ging de man verder.

Het duizelde Witse. De woorden van de man tolden door zijn hoofd. Hij kende die stem, maar van waar?

Uiteindelijk vond hij wat woorden. 'Laat me met rust,' baste hij.

'Commissaris, u wil toch niet dat wij onze lezers moeten vertellen dat de politie het volk niet te woord wil staan? Laten we iets afspreken. Ik bel u binnen een uurtje terug, als u nuchterder bent. Dan vertelt u ons alles wat u weet over de moord op Delcroix – en die op Florimond Fonteyne. We spreken af dat wij u elke week op een vaste dag bellen. Past maandag u? U geeft ons de stand van het onderzoek. Anoniem, uiteraard. In ruil kan u ervan op aan dat wij niet schrijven dat u weer op Brussels terrein actief bent… buiten medeweten van Paul Keysers. We schrijven ook niets over uw moeilijke persoonlijke relatie met Keysers. En ten slotte zwijgen we in alle talen dat u weer samenwerkt met Albain Dictus, ondanks het feit dat het u sinds vorig jaar expliciet verboden is die man nog te zien.'

‘Ik héb Dictus al een jaar niet meer gezien,’ zei Witse. Hij had onmiddellijk spijt van wat hij gezegd had. Nooit in discussie gaan met die gieren!

‘Tsk tsk, nu liegt u, commissaris. Drink een paar kopjes koffie. Neem een douche. We horen elkaar over een uurtje.’

De journalist legde in. Witse liet de telefoon vallen en zorgde er met opzet voor dat de hoorn van de haak bleef. Daarna strompelde hij naar de badkamer voor een verkwikkende douche. Zijn hemd oprapen en in de wasmand gooien, dat vergat hij.

Rond half twaalf strompelde Witse het politiebureau binnen. Dimitri draaide met zijn ogen. ‘Roel Maenhout zit al twee uur op je te wachten. We hebben alle moeite van de wereld moeten doen om Van Deun te beletten om...’

Hij kon zijn zin niet afmaken. Van Deun was zijn kantoor uitgekomen en begon al van ver op Witse te schelden.

‘Ah, Witse, zal ik je een koffie zetten? Voor meer ben ik blijkbaar niet goed genoeg, huh? Meneer de topcommissaris doet het liever allemaal zelf, huh? Van Deun is maar een prutser, een nul die nooit resultaten boekt, huh?’

Van Deun beende de gang door en posteerde zich pal voor Witse.

‘Denk je dat ik niet weet dat je in mijn kantoor ingebroken hebt?’ siste hij.

‘Oei,’ zei Witse. ‘Heb ik die kaft dan toch een millimeter te ver naar achteren geschoven?’

‘Een halve centimeter, Witse! Denk je nu echt dat ik dat over me heen kan laten gaan. Nee, makker, er is een lijvig dossier over jou onderweg – naar het comité P!’

‘Pistoollader achtergelaten in niet-slotvast afgesloten schuif,’ citeerde Witse smalend.

Van Deun leek niet eens verrast. 'O, dat is het minste van wat er in zal staan,' lachte hij hatelijk. 'De manier waarop jij je collega's vernedert en manipuleert, daar zal ooit les over gegeven worden op de politieschool. In het vak "Hoe het Ambt van Federaal Politieman te Schande Maken"! Het is niet genoeg dat je *mijn* dossier achter mijn rug overneemt, het is niet genoeg dat je *mijn* partner opvordert zonder mij daarin te kennen, het is niet genoeg dat je *mijn* verdachte ter ondervraging laat binnenbrengen, nee, het wordt mij ook nog eens verboden om met de jongen te gaan praten! Ik mag mijn eigen onderzoek niet meer voeren! Makker, dit ga je je zo beklagen dat je wenste dat je moeder je nooit op de wereld had gezet. Als mijn klachtendossier tegen jou eenmaal behandeld is, dan mag jij blij zijn als je hier de bureaus mag komen afstoffen!'

'EN NU IS HET GENOEG!'

Ilse Vandecasteele stond in het deurgat van haar kantoor, bovenaan de trap. Haar ogen schoten banbliksems naar de twee kemphanen.

'Jullie zijn twee kleine kinderen! We zijn met een moordonderzoek bezig. Witse, je bent verdomme bijna drie uur te laat! Er zit al twee uur een minderjarige in de verhoorkamer. Ik hoop voor jou dat die iets met deze zaak te maken heeft anders zorg ik er zélf voor dat jij hier alleen nog het stof mag komen afdoen. Maak dat je hem gaat ondervragen. En als hij vrijuit gaat, laat hem dan onmiddellijk vrij. En Van Deun, hou op met die belachelijke ijdeltuiterij! Ik heb het dossier aan Witse gegeven. Jij bent degene die belangrijk materiaal heeft achtergehouden. Als je nog één keer zoiets doet, dan stuur *ik* een verslag naar het Comité P. Met wat voor sukkels moet ik hier godverdomme samenwerken? AAN HET WERK IEDEREEN!'

Roel Maenhout hing suf en slungelig op zijn stoel. Het verbaasde Witse dat de jongen erin slaagde om op zo'n harde, eenvoudige stoel te hangen. In een sofa, ja, maar op zo'n houten geval? Dat deed toch pijn?

Hij haalde het juwelendoosje boven dat Carla Maenhout was komen afgeven, en zette het voor de neus van de jongen.

'Wat was je hiermee van plan? Verkopen?'

Roel zweeg.

'Godverdomme!' Witse sloeg met zijn vuist op tafel. 'Denk je dat je het je kunt permitteren om te zwijgen? Denk je dat? We hebben je al voor diefstal, en we hebben je al voor minderjarige prostitutie. Tientallen foto's hebben we van jou op het Fontainasplein, terwijl je dingen doet waar mijn collega Dams, die niet veel buiten komt, drie dagen niet goed van geweest is. Op openbare plaatsen bovendien – daar hebben we je ook al voor. Dat zijn al drie misdaden. Bovendien ben je hier omdat wij onderzoek doen naar een moord. Ik zeg niet dat jij bij die moord betrokken bent, maar ik ben ook niet zeker dat het niet zo is. Dus, jongetje, ik denk dat jij er alle belang bij hebt om nu rechtop te gaan zitten en onze vragen braaf te beantwoorden. Je zit hier niet op school. Dit gaat niet over met de bel. Dit gaat alleen over als jij precies doet wat wij zeggen.'

Zo dreigend had Dimitri Witse nog niet gezien. Hij bewonderde de manier waarop zijn chef emoties kon imiteren: razernij, vriendelijkheid, warmte, kille strengheid, precies wanneer dat in de ondervraging van pas kwam. Of imiteerde Witse niet? Viel hij echt van de ene emotie in de andere?

'Gaat u mijn moeder vertellen van...'

Roel Maenhout boog zijn hoofd.

'Van het feit dat je mannen pijpt in hun auto? Misschien... Dat hangt ervan af wat jij ons kan vertellen. Ging je dit halssnoer verkopen?'

Roel schudde zijn hoofd. Witse ging voor hem staan, de armen gekruist, de wenkbrauwen vragend opgetrokken.

'Mijn lief is jarig,' zei Roel.

Hij zei het zo onbeholpen en zacht, dat Witse meteen medelijden kreeg. Niet dat hij dat liet zien natuurlijk.

'Weet zij van je bijverdienste?'

'Nee natuurlijk niet! Ze wil niet eens dat wij al... Ze denkt dat ik ook nog nooit...'

Witse knikte en deed teken dat Roel zijn zin niet hoefde af te maken. Hij wenkte Dimitri, die foto's van het zilveren bestek op tafel legde.

'Ken je dit? Heb je dit ooit gezien voor je bij mevrouw Fonteyne ging werken?'

Roel bekeek elke foto nauwkeurig. Dan schudde hij zijn hoofd.

'En deze kerel?'

Hij toonde een foto van Matthieu Delcroix voor hij doodgeschoten werd. Roel bekeek de foto opnieuw grondig. Toen knikte hij.

'Ik heb hem weleens gezien. In bars.'

'Een klant van je?'

'Nee, zeker niet. Die kerel moest niets van ons hebben. Hij haatte *pédés.* Maar ik bén geen pédé!'

'Nee, jij doet gewoon je job,' schamperde Witse. 'Maar je kende hem niet persoonlijk? Je hebt nooit met hem gesproken? Nooit een gesprek opgevangen tussen hem en iemand die je kent? Iemand die je niet kent? Nooit een gesprek toevallig gehoord dat *over* hem ging?'

Roel ontkende telkens.

'Je weet toch dat hij dood is.'

De jongen keek op. Verbaasd, maar niet gechoqueerd. Dat deed Witse vermoeden dat hij de waarheid sprak toen hij zei dat hij Delcroix niet kende. Witse haalde foto's boven van het lijk, doorzeefd met kogels.

'Yukkie,' zei de jongen. Zijn gezicht toonde walging en fascinatie, waarschijnlijk normaal voor een jongen van die leeftijd. 'Wie heeft dat gedaan?'

Witse zuchtte.

'Waarom denk je dat je hier zit?'

'Je denkt toch niet dat ik dat heb gedaan! Komaan, ik heb die kerel af en toe in een bar gezien. Heel Brussel kan dat zeggen! Het is niet omdat ik goed geld verdien op het plein omdat die pishoer in haar kasteel mij niet genoeg betaalt, dat ik daarom mensen neerleg. Ik heb dat niet gedaan!'

'Dat zeg ik niet,' zei Witse. 'Maar ik zeg ook niet dat je het niet gedaan hebt. Zeg eens: wist jij dat de uitvinding, waarmee die pishoer zo rijk geworden is, niet door haar man maar door jouw vader gedaan is?'

Roel Maenhouts gezicht vertoonde opperste verbazing. Hij was een volle halve minuut stil. Toen kwam de razernij.

'Het *kut*wijf!' riep hij. 'Ik *wist* dat het niet klopte. Die oude loodgieter had niks hersens in zijn kop! Hij kon nog geen toilet herstellen zonder de handleiding erbij te nemen. Hij *kon* dat gewoon niet bedacht hebben. Dus: al dat geld, dat is eigenlijk van ons? Dat is van mijn moeder en mij, nee? Wij hebben daar recht op. Jullie gaan ons toch helpen om het te krijgen? Het kan toch niet dat die trut in dat kasteel blijft wonen en dat ik haar haag sta te knippen, terwijl dat kasteel eigenlijk van mij is en dat zij blij zal mogen zijn als zij bij mij het gras mag komen afdoen? O godverdomme, als ik dàt vroeger geweten had. Ik hàd die Florimond loodgieter van mijn vest zelf neergelegd!'

Witse knikte. 'Jaja. Allemaal heel verstandig, wat je nu zegt. Dimitri?'

Dimitri stond op.

'Neem de jongeheer Maenhout mee. Maak foto's van hem, neem zijn vingerafdrukken, en laat hem hier nog enkele uurtjes logeren. Ik denk dat hij wat tijd nodig heeft om af te koelen.'

Onder hevig protest werd Roel Maenhout weggeleid.

16

Toen Dimitri en Witse het ziekenhuis binnenliepen, werd Witses aandacht getrokken door een knappe verpleegster. Hij wist zelf niet waarom, maar hij voelde zich in een ondernemende bui. Hij trok zijn stoute schoenen aan en sprak haar aan.

'Mevrouw, wij komen Annie Rietsma bezoeken. Weet u op welke kamer we haar kunnen vinden?'

Dimitri keek verbaasd. Witse wist heel goed op welke kamer Annie lag.

De verpleegster glimlachte vriendelijk.

'Dat kunt u daar aan de balie vragen meneer,' zei ze. Ze wees naar de balie.

'Dat weet ik,' glimlachte Witse. 'Maar dat heeft het nadeel dat u me daar niet te woord staat.'

Meteen kreeg hij een rood hoofd. Het was helemaal zijn gewoonte niet om zo brutaal te flirten. Nu kegelt ze me buiten, dacht hij.

De verpleegster bleef glimlachen. Ze keek Witse onderzoekend aan, alsof ze twijfelde geïrriteerd of gecharmeerd zijn. Ze koos voor het tweede. Met een ironisch lachje zei ze: 'Dat is inderdaad een nadeel. Loopt u maar even met me mee. Ik moet mevrouw Rietsma toch haar medicijnen brengen.'

Glunderend liep Witse achter haar aan.

Annie hing aan de telefoon, maar toen ze haar bezoek zag, beëindigde ze het gesprek. De verpleegster legde vijf pillendoosjes op haar nachttafeltje, glimlachte nog een keer naar Witse en Dimitri en liet hen alleen.

Annie schudde met haar hoofd en liet de doosjes zien.

'Pillen voor mijn bloeddruk, pillen voor mijn hart, pillen voor mijn aders, een bloedverdunner...' somde ze op. 'Ik ga een eigen apotheek kunnen beginnen.'

'Wees blij dat je nog leeft,' zei Dimitri.

'Mag je nog kriek drinken?' vroeg Witse.

'Natuurlijk!' lachte Annie. Ze boog zich naar de zijkant van haar bed en haalde twee flesjes tevoorschijn. 'Met water krijg ik heel die pillenwinkel niet door mijn keel!'

Ze lachten alle drie. Witse was blij dat hij haar zag. De zorgen van de voorbije dagen leken van hem af te vallen als hij deze eenvoudige volksvrouw zag. Misschien maakte hij niet genoeg tijd voor haar, maar Witse zag dat ze wist dat hij om haar gaf.

'Heb je nu al iets gedaan met de tip die ik je gegeven heb?' vroeg Annie.

'Welke tip?' zei Dimi wantrouwig.

'Wel, die ik op Witse zijn feestje heb gegeven.'

'Aan één tipgever heb ik meer dan genoeg,' lachte Witse.

'Je wil toch niet beweren dat je niet meer weet wat ik toen verteld heb zeker? Het was belangrijk!'

Witse zuchtte en rolde met zijn ogen. Hij spreidde zijn handen, om te zeggen: laat maar komen.

'Over die auto die voor je deur stond! Hoe, weet je dat niet meer? Toen jij buiten de triestige zat uit te hangen, ben ik je toch komen halen. Ik zag toen aan de overkant van de straat een auto geparkeerd staan. Met iemand in die naar je huis aan het kijken was. Naar ons. Misschien waren ze zelfs met zijn tweeën, dat kon ik niet goed zien.'

Witses aandacht was getrokken. In zijn maag voelde hij een onrustig knagen. Mannen die zijn huis beloerden, dat moest te maken hebben met het heropduiken van de Zilvervis.

'Ben je zeker?' vroeg Witse.

'Had ik dat echt nog niet eerder gezegd?'

Dimitri schudde van nee. Witse liep naar zijn tas en haalde er een envelop met foto's uit. Foto's van Albain Dictus en van Roel Maenhout. Hij liep ermee naar Annies bed en zette zich voorzichtig op de rand van de matras.

'Annie... Als ik je nu foto's zou tonen, denk je dat je die man zou herkennen?'

Hij legde de foto's tussen de pillendoosjes. Annie glunderde. 'Ik moet echt jouw zaak oplossen hé?'

Een kwartier later zaten Dimitri en Witse in de auto en waren ze op weg naar Brussel. Roel Maenhout had Annie op geen enkele foto herkend, maar over Albain Dictus was ze zeker. Dat was de man die die avond in de auto had gezeten, en die Witse had zitten observeren.

‘Godverdomme de leugenaar,’ vloekte Witse. ‘Toen hij mij die avond belde, zei hij dat hij van thuis telefoneerde! Hij zei dat hij in Brussel was. Terwijl hij vlak voor mijn deur stond. Wacht tot ik hem tussen mijn vingers krijg.’

Witses gsm rinkelde. Nog woedend stak hij het ding in het houdertje om handenvrij te bellen, en hij nam op. ‘Witse!’ blafte hij in de hoorn.

‘Commissaris,’ fleemde de lijzige stem van Franky Smegghe door de auto. ‘We konden u gisteren niet meer bereiken. Hebt u kunnen nadenken over ons voorstel?’

Dimitri keek verbaasd naar Witse, die krijtwit weggetrokken was.

‘Van wie hebben jullie mijn gsm-nummer gekregen?’ hijgde hij.

‘De bevolking heeft het recht om makkelijk en laagdrempelig in contact te kunnen komen met haar politie. Daar zijn we het toch over eens?’

‘Krijg acute keelkanker en sterf met je ballen in een wafelijzer!’ brulde hij. Hij drukte de gsm weer af.

Zowel hij als Dimitri dachten na over die laatste zin. Wat kon Witse rare dingen zeggen, als hij onder stress stond. Ballen in een wafelijzer, hoe verzon hij het?

‘Ik durf het nauwelijks vragen…’ begon Dimitri.

‘Vraag het dan maar niet,’ snauwde Witse.

Dimitri keek beledigd weg. De rest van de rit verliep in een ijzige stilte.

Zware wolken hingen boven Brussel. De hele dag al was het wachten tot het onweer, dat op elk nieuwsbulletin aangekondigd was, zou losbarsten. Het leek of de lucht alleen maar zwarter werd. Witse draaide een brede, burgerlijk uitziende straat in. Ze waren aan de ‘goede’ kant van Schaarbeek, het deel van de gemeente waar goedverdienende Vlamingen tussen Marokkaanse en Waalse volksmensen woonden. Ze waren net nog door een winkelstraat gereden waar de ene Marokkaanse kruidenier volgde op de andere Turkse bakker. Het voetpad, en ook de rijweg, krioelde van het volk. Iedereen spoedde zich om nog snel inkopen te doen, voor de regen begon te stromen. Maar deze straat was rustig.

Witse parkeerde de wagen voor een piepklein immobiliënkantoortje, dat geprangd zat tussen twee herenhuizen.

'Dit is het kantoor waarvoor Albain huizen verkoopt,' zei Witse. 'Hij woont hier niet ver af, boven het schoonheidssalon van zijn vriendin.'

Hij glimlachte naar Dimitri om de spanning, die er sinds het telefoontje tussen hen hing, weg te nemen. Dimitri knikte neutraal en stapte uit. Witse volgde.

Het immokantoor was gesloten. Witse rammelde een paar keer aan de deur, alsof hij het bordje met 'gesloten' niet geloofde. Hij vloekte en staarde een tijdje zonder echt te kijken naar de tientallen advertenties met TE HUUR en TE KOOP waarmee de etalage volgeplakt was.

Terwijl Witse en Dimitri overwogen wat hun volgende stap zou zijn, kwam er een klein autootje de straat inrijden. Het parkeerde enkele huizen verder. Er stapte een deftige heer uit, en enkele seconden later een man met het uiterlijk van een pooier: Albain Dictus. De heer stapte naar het immokantoor. Maar Albain bleef achter. Hij had gezien wie er voor de deur stond. Zijn mond was opengevallen en hij stond aan de grond genageld. Dan keek hij angstig achterom, wierp nog één blik naar de man met wie hij was meegereden, en rende dan zo snel hij kon weg.

Witse en Dimitri's aandacht was getrokken door een

advertentie voor een prachtige witte villa in Bogaarden. Een villa die geen andere kon zijn dan die van de familie Fonteyne...

'Wat zoekt u?'

Het nette heertje stond naast Witse en Dimitri en keek hen vragend aan.

'Wilt u een huis kopen?'

Witse glimlachte en haalde in een vlotte beweging zijn politiekaart boven.

'Commissaris Witse. Zou u zo vriendelijk willen zijn om ons een exemplaar te bezorgen van deze affiche?' Witse tikte tegen de advertentie. 'En kunt u ons vertellen waar we meneer Albain kunnen vinden, uw verkoper?'

De man keek verbaasd achterom.

'Tiens, dat is vreemd. We zijn daarnet samen uit de auto gestapt.'

'Godverdomme!' vloekte Dimitri. Hij rende de straat uit. Witse glimlachte kort tegen de man en ging Dimitri daarna op een sukkeldrafje achterna.

Uiteraard was de vogel gevlogen. Albain kon overal naartoe gerend zijn. Belangrijker was dat hij, door te vluchten, Witses vermoeden bevestigd had dat hij iets met de zaak te maken had. Alhoewel – misschien was hij gewoon bang geworden van Witse, nadat die hem vorige keer in de cel had geworpen?

Waarom bleef hij hem zo verdedigen? Witse begreep zichzelf niet. Albain was verdacht. Als hij Albain vond, dan zou de zaak opgelost zijn.

Albain was dan wel spoorloos, maar Witse kende iemand die wist waar hij zat: zijn vriendin Jeannine. Haar schoonheidssalon was op wandelafstand van het immokantoor.

Witse was er vroeger vaak geweest. Hij onderhield goede persoonlijke verhoudingen met zijn tipgevers. Hij kende hun partners en kwam weleens bij hen thuis. Albain en hij waren zelfs al met hun vrouwen een dagje naar zee geweest. Als ze meenden dat hij hun vriend was, als ze hem vertrouwden, dan vertelden ze alles wat ze wisten.

Witse keek naar de lucht. De eerste druppels begonnen te vallen. Hij wenkte Dimitri: haast je, dan zijn we er voor we doorweekt zijn.

Jeannine was net aan het afrekenen met een klante, toen Witse binnenviel. Ze was een kokette vrouw met geblondeerd krullend haar. Ze droeg veel make-up en juwelen en ze had, herinnerde Witse zich, een aanstekelijke lach.

'Is Albain hier?' vroeg hij. Hij hijgde nog een beetje, want ze hadden er stevig de pas ingezet. Hij deed zijn jas uit en veegde de regendruppels uit zijn haar.

Jeannine keek hem verbaasd aan. 'Mag ik eerst afrekenen?' zei ze.

'Doe gerust,' lachte Witse. Toen Jeannine zich weer tot haar klante wendde, wandelde hij naar het gordijn dat de zaak scheidde van de woonruimte. Hij duwde het discreet opzij en loerde binnen.

'Albain is er niet,' riep Jeannine scherp, toen de klante buiten was. 'En ik zou het appreciëren als je hier niet binnenwandelde alsof het je eigen huis was. Wat moeten de klanten wel denken?'

'Waar is hij?' vroeg Witse.

'Op zijn werk zeker?'

Witse besefte dat hij een andere strategie moest aanwenden om tot resultaten te komen. Hij liep met open armen op Jeannine af en nam haar bij de schouders. Hij lachte zijn warme glimlach.

'Je hebt gelijk, Jeannine. Mijn excuses dat ik hier zomaar kom binnenvallen. Ik had al veel eerder moeten komen. Het is niet meer zoals vroeger. Ik vergeet zelfs om je te kussen.' Hij gaf haar twee zoenen op de wang. 'Voilà. Hoe gaat het met je? En met de zaak? Ze loopt goed, zie ik.'

Jeannine gooide haar manicuurmateriaal neer en keek Witse ziedend aan.

'Kom je pootjes geven, flikske van mijn voeten? Ik dacht dat jij een kameraad was van ons. Maar je komt alleen als je iets nodig hebt. Heb je enig idee wat voor miserie Albain heeft doorstaan, vorig jaar, door jouw schuld? Heb je ooit nog naar ons omgezien? Twee keer heeft Albain je nog gebeld! Hij moest je dringend spreken. "'t Interesseert me niet." Dat waren jouw woorden!'

'Ik *mocht* hem niet meer zien!'

'Alsof jij je daar iets van aantrekt, van wat mag en niet mag. Gewoon op bezoek komen, mocht dat ook niet?'

Witse zuchtte.

'Ik had problemen thuis, oké?' zei hij zachter. 'Ik ben aan het scheiden.'

'Dat weet ik, ja,' zei Jeannine hard. 'Heel Brussel weet dat je baas erop gezeten heeft.'

Witse grimaste, maar werd niet boos. Jeannine had spijt van haar woorden, dat zag hij. 'Sorry,' zuchtte ze. 'Witse, je weet dat Albain een groot kind is, dat aandacht nodig heeft. Ik kan hem niet in het oog houden als hij zit aan te pappen met criminelen. Dat was jouw verantwoordelijkheid, maar die heb je niet genomen! En sindsdien ben ik alleen maar bang.'

Witse keek naar de grond.

'Is hij hier nog geweest?'

'Ik heb hem sinds eergisteravond niet meer gezien. Hij vertelt me al een week niks meer over wat hij doet. En nu val jij hier binnen! Wat moet ik nu denken?'

Jeannine begon plots te huilen. Het was haar aan te zien dat ze de laatste dagen onder zware stress geleefd had. Witse sloeg zijn arm om haar heen. Hij voelde diep medelijden met haar. Ergens hoopte hij dat hij zich vergiste, en dat Albain er toch niets mee te maken had. Hij kende hem toch. Albain was een opschepper, een pocher, maar hij had een peperkoeken hart. Waarom zou hij Flor Fonteyne vermoord hebben? Hij had daar geen enkele reden toe.

Maar waarom hing Fonteynes villa dan te koop bij Albains makelaarskantoor?

Jeannine was gaan zitten. Het snikken was opgehouden. Ze keek Witse haast smekend aan. Die haalde de affiche boven.

'Zegt dit huis je iets?' vroeg hij.

Jeannine ontspande.

'Ja natuurlijk,' zei ze. 'Die villa heeft Albain verkocht. Dat is het ouderlijk huis van Tigla.'

Witse en Dimitri keken haar stomverbaasd aan.

'Tigla Fonteyne?' zei Dimi. 'De dochter van?'

'Ah ja van die mens die vorig jaar is...'

'Is vermoord in Bogaarden, ja,' vulde Witse aan. 'Voor een zilveren tafelbestek. Heeft Albain daar ooit iets over verteld.'

Jeannine keek angstig. Ze schudde van nee.

'Hoe ken jij Tigla Fonteyne eigenlijk?'

'Die komt hier al jaren als klant. Gisteren was ze hier nog voor haar nagels. De boetiek waar ze werkt is hier achter de hoek. Ze is van plan in het pand hiernaast een eigen zaak te beginnen, ooit.'

Witse en Dimitri keken elkaar veelbetekenend aan. Tijd om nog eens naar Bogaarden te rijden...

17

Ondertussen was het onweer losgebarsten. In geen tijd waren de straten van Brussel verlaten. De watergeulen aan weerskanten van de weg konden de toevloed niet slikken; het leek alsof er kleine riviertjes door de hoofdstad stroomden. Hoewel het nauwelijks vijf uur was, was het even donker als in het midden van de nacht. Af en toe werd het zwerk verlicht door een bliksemschicht. Brussel verschool zich en hield zijn adem in.

Ook het Fontainasplein was verlaten. De jongenshoertjes waren thuisgebleven, of hadden snel een klant opgescharreld om bij te schuilen. Enkel een paar verloren zielen zaten verkleumd te schuilen in portieken.

Roel Maenhout zocht geen contact met zijn natgeregende lotgenoten. Hij had het politiekantoor twee uur geleden mogen verlaten en zat nu op de grond onder de linnen luifel van een hotel, zijn knieën opgetrokken om het iets warmer te hebben. Hij was door en door koud. Hij voelde zich opgejaagd. De ondervraging op het politiekantoor had hem murw gemaakt. Hij was bang dat, nu het onderzoek zich op hem toespitste, zijn moeder of erger, zijn vriendin Judy zouden te weten komen dat hij op het Fontainasplein werkte. Hij was bang dat die rare flik, die binnen de vijf minuten razend kwaad kon worden en dan weer poeslief zijn, hem verdacht van moord. Hij was bang dat hij hem niet had kunnen overtuigen dat hij niets met die moord op Fonteyne te maken had. Hij was een hoer, hij was een dief, hij was een asociale weirdo – waarom zouden ze hem niét verdenken van moord? Roel was geen jongen met veel vertrouwen in het gerecht. Als ze je zochten, dan schoven ze je om het even wat in je schoenen. Ze waren niet écht op zoek naar de waarheid. Ze zochten gewoon een willekeurig slachtoffer, een loser van de straat die kon dienen als 'dader,' om hun statistieken er beter te doen uitzien...

Maar bovenal voelde Roel razernij. Witse had bevestigd wat hij al lang vermoedde: zijn vader had die waterfilters uitgevonden, en die gluiperige klootzak van een Flor Fonteyne had hem daarom vermoord. De Fonteynes waren schatrijk geworden met een idee van zijn vader. Die rijkdom hoorde hém, Roel, toe. En zijn moeder. Zij hoorden in dat kasteel te wonen.

Hij had het altijd geweten. Zijn vader was een zonderling die weinig aandacht had voor zijn gezin, en zeker niet voor zijn enige zoon, maar hij was geen nul. Roel kon fier zijn op zijn vader. Zijn vader was een genie! Maar niemand wist het. Voor de wereld was Marcel Maenhout een rare kwibus die nooit iets betekend had en roemloos aan zijn einde was gekomen door een banale val van een ladder. Onhandig, dom, betekenisloos, een leven dat net zo goed niet geleefd had kunnen worden. Flor Fonteyne, aan de andere kant, was het genie, de uitvinder, de schatrijke *self-made man* die tragisch maar spectaculair vermoord was. Dat was hoe de wereld het zag! Godverdomme, die Fonteyne had geluk dat hij al dood was, of Roel had hem vandaag eigenhandig gewurgd.

De regen begon door de luifel te druppen. Roel rilde en vloekte. Hij had een afspraak met een klant. Een nieuwe klant – hij had hem nooit eerder gehoord, al was de stem hem vaag bekend voorgekomen. Hij had hem gebeld vlak nadat hij het politiekantoor verlaten had. Of hij hem nu kon zien. Het was dringend, blijkbaar.

Hij wou al lang stoppen met dit werk, dat hem deed walgen van zichzelf. Maar hij had het geld nodig. Witse had hem het halssnoer afgepakt dat hij Judy cadeau had willen doen. Waar zou hij geld vandaan halen om een nieuw cadeau te kopen? De vrekkige weduwe van Fonteyne betaalde hem soms met een zak diepvriesproducten. 'Geef dat aan je moeder, dan eten jullie morgen ook eens gamba's.' Wat had hij daaraan? Kon hij Judy een zak diepgevroren gamba's cadeau doen? En daarbij: het brak zijn hart om te zien hoe zijn moeder op haar leeftijd voor zo'n hongerloon in dat spookhuis moest koken en schoonmaken. (Terwijl ze rijk hadden moeten zijn!) Hij deed dit ook voor haar! Dat is iets wat zij nooit zou begrijpen, en dus mocht ze het nooit te weten komen, maar hij zette al twee jaar de helft van zijn inkomsten op een rekening. Als zijn moeder vijftig werd, zou hij haar zeggen: 'Moeder, vraag me niet waar het vandaan komt, maar met dit geld kun je het vanaf nu rustiger aan doen. Je hoeft je niet meer te vernederen voor dat gekke wijf.' Zijn vader zou trots kunnen zijn op zijn zoon, die als enige man voor het gezin wist te zorgen.

Het licht van twee koplampen boorde door het regengordijn. Een grote, zwarte wagen parkeerde naast het hotel. Mooi: een rijke klant. Roel nam zich voor zijn prijs te verdubbelen. Mocht ook wel, als ze verwachtten dat hij in dit weer werkte.

De klant stapte uit en deed een paraplu open. Het was

een grote man. Roel drukte zijn walging weg. Hij zocht zijn gebruikelijke onverschilligheid. Dit is gewoon werk, dacht hij. Denk aan het geld. Denk aan moeder en Judy. Denk aan vader.

De klant bukte zich en dook met paraplu en al onder de luifel. 'Hé hé, wat een rotweer, niet, schatje?' zuchtte hij. 'Kom maar gauw bij me. Ik ken een warmer plekje.' Hij liet zijn paraplu zakken en lachte naar Roel.

Toen hij zag wie het was, verstijfde Roel Maenhout. Hij kon nog net een schreeuw onderdrukken.

18

De ruitenwissers van Witses auto gingen als een gek heen en weer, maar nog was de weg nauwelijks zichtbaar. De regen ratelde zo hard op het dak van de Toyota dat Dimitri en Witse de politiescanner niet meer hoorden. Praten had geen zin: alleen als ze riepen, konden ze elkaar verstaan. Eigenlijk was het beter geweest als ze hun auto gewoon aan de kant hadden gezet en gewacht tot het onweer voorbij was, maar ze waren allebei zo overdonderd door het nieuws dat de familie Fonteyne Albain Dictus goed kende dat ze zo snel mogelijk met Tigla Fonteyne wilden praten. Albain had dit nooit verteld, terwijl hij toch met die tip over het gestolen zilver was afgekomen.

Het duurde uiteindelijk meer dan twee uur voor ze bij de villa in Bogaarden aankwamen. Witse had noodgedwongen tergend traag moeten rijden, terwijl Dimitri op zijn nagels beet en hardop vragen over de zaak stelde, die Witse niet kon horen door de regen. Toen Witse zijn wagen de oprit opreed, was het ergste gelukkig voorbij. Het water viel nu in meer traditionele hoeveelheden naar beneden.

Ze kwamen gelijktijdig aan met Wilfried Offermans. Tigla's echtgenoot doofde net zijn lichten toen Witse zijn auto achter de zijne zette. De yup sprong uit zijn wagen en rende zonder te kijken wie er in de andere zat, recht naar de villa. Allicht bang om zijn dure pak nat te maken, dacht Witse schamper.

Ze troffen Offermans in de woonkamer van de villa. Patricia Fonteyne had de deur geopend en hen met zichtbare tegenzin binnengelaten. Offermans zat op de grond in zijn onderbroek. Hij stroopte zijn kletsnatte broek af en sakkerde ondertussen op de regen. 'Een echte Yves Saint Laurent! Kletsnat, met die smerige regen. Hebben ze enig idee hoeveel dat pak me gekost heeft? En mijn schoenen! Italiaans leer, een fortuin! Volledig doorweekt! Dat komt nooit weer goed.'

'Wenst u klacht in te dienen tegen het onweer, meneer Offermans?' vroeg Witse cynisch. 'Mijn assistent zal anders een pv'tje opmaken.'

Wilfried Offermans sloeg zijn handen voor zijn in een witte onderbroek gestoken kruis, wat zo'n komisch zicht was dat Dimitri een glimlach niet kon onderdrukken.

Tigla Fonteyne lachte ook. 'Wilfried, wees niet zo knorrig. Hier, doe een andere broek aan. Het is vast smaad aan de politie, zo in je slipje voor de arm der wet staan.' Ze gooide een droge broek naar Offermans, die ze mopperend opving en aantrok.

'Is er nieuws?' vroeg Tigla. 'Of komt u weer voor mijn moeder? Dan gaan we wel weg hoor.'

'Heeft dat stuk crapuul bekend?' baste Offermans, die in zijn nieuwe broek zijn zelfgenoegzaamheid hervonden had.

'We komen niet voor uw moeder,' glimlachte Witse. 'We zouden graag een praatje met u maken.'

'Met mij?' Tigla keek uiterst verwonderd. Offermans sprong op en liep op Witse toe. 'Dat gaat zomaar niet hé!'

'Meneer, u werkt op mijn zenuwen!' siste Witse. 'Nog één woord en ik làat u oppakken wegens smaad aan mijn adres. We brengen uw vrouw straks terug. Mevrouw Fonteyne, komt u even mee?'

Tigla Fonteyne was een schat van een vrouw. Witse moest zich inhouden om zijn sympathie voor haar niet te zeer te laten blijken. Ze was behulpzaam, vriendelijk, vrolijk en grappig. Ze vond het niet eens erg dat ze verhoord werd. Er was maar een ding mis met haar: haar echtgenoot. Hoe kwam het toch dat dergelijke pompeuze idioten zulke fijne vrouwen wisten te versieren, dacht Witse voor de zoveelste keer.

'Ik wil met u enkel een paar zaken op een rijtje zetten,' begon hij.

Tigla knikte en glimlachte. Witse glimlachte terug.

'Ik zal niet zeggen hoe, maar het is dankzij Albain Dictus dat we op het spoor gekomen zijn van het zilverwerk waarvoor uw vader is vermoord. De man die de buit zou verkopen, is ook vermoord. En nu is Albain verdwenen... De reden waarom we u willen ondervragen, is omdat we net te weten gekomen zijn dat u regelmatig bij Albain en Jeannine thuis kwam. Hoe bent u in Jeannines schoonheidssalon terechtgekomen?'

'Ik kom er voor mijn nagels,' lachte Tigla onzeker. 'Gisteren nog. Kijk, die heeft Jeannine gezet.' Ze liet haar lange valse nagels zien. Ze waren lichtrood geverfd, met glittertjes in. 'Leuk hé? Ik heb graag gekke kleuren voor mijn nagels.'

'Hoe lang kent u Jeannine al?' vroeg Witse.

Tigla dacht na. 'Ik werkte ongeveer een jaar in die boetiek toen onze pa werd vermoord. Dat is nu een jaar geleden.'

'En u kwam al van bij het begin bij Jeannine?'

Tigla knikte.

'En Albain? Hoe goed kent u die?'

'Oppervlakkig.'

Witse haalde de affiche boven waarop de villa van Fonteyne te koop stond aangeboden.

'Maar goed genoeg om uw ouderlijk huis door hem te laten verkopen.'

Tigla Fonteyne haalde haar schouders op. Ze begreep het belang niet van Witses vragen, zoveel was duidelijk.

'Dat ging eigenlijk vanzelf,' vertelde ze. 'Ons ma wilde niet meer in die villa wonen. Ik vertelde dat aan Jeannine en omdat Albain toch in immobiliën zit...'

'Was Albain vroeger al eens in uw ouderlijk huis geweest? Voor de roofmoord?'

Tigla dacht weer na, en schudde dan het hoofd. 'Daar was toch geen enkele reden toe?'

'Mmm,' zei Witse. Hij knikte en glimlachte.

'Maar u was toen een jaar klant bij Jeannine. Ik veronderstel dat u wel eens een praatje maakte terwijl ze uw nagels verzorgde? Misschien ging het soms over uw ouders? Over geld, of over de villa?'

'Misschien bent u concreter geweest dan u zelf besefte,' vulde Dimitri aan, toen Tigla niet antwoordde. 'Bijvoorbeeld over dat zilveren bestek.'

'Ik roddel niet over mijn ouders!' zei Tigla verontwaardigd. 'Ik begrijp niet wat u bedoelt. Ik begrijp niet wat Jeannine hiermee te maken heeft. Je hebt de moordenaar toch! Het is toch die kleine van Carla, dat raar kind dat iedereen bang maakt met zijn gluiperige ogen? Altijd is hij daar waar je hem niet verwacht! En te denken dat moeder altijd zo goed voor hem geweest is!'

Witse legde een foto van Matthieu Delcroix voor Tigla op tafel.

'Hebt u deze persoon ooit in de buurt van Jeannine of Albain gezien?'

Tigla schudde heftig van nee. 'Als hij het gedaan heeft, waarom zegt u dat niet niet? Wie wàs het nu? Roel Maenhout of die man op deze foto? Begrijpt u niet hoe verschrikkelijk het is om in onzekerheid te leven? Het is toch niet zo moeilijk om vlakaf te zeggen: *hij* heeft het gedaan, punt?'

Witse antwoordde niet. Dimitri noteerde zwijgend. Tigla gaf een gefrustreerde schreeuw en liet haar handen moedeloos vallen. Witse had haar dolgraag in zijn armen genomen en getroost. Hij had haar dolgraag de moordenaar van haar vader nu op een dienblad aangereikt: hij is van jou, doe met hem wat je wil.

Het duurde een tijdje voor hij zich herpakt had.

'Was u ook op dat trouwfeest, vorig jaar?' vroeg hij. 'Het feest dat uw vader verlaten heeft om een nieuw pak aan trekken, waarna hij vermoord werd?'

Ze knikte.

'Ik heb nooit afscheid kunnen nemen van mijn vader,' zuchtte ze. 'Hij had grenadine gemorst op zijn pak en hij zou thuis snel een ander aantrekken. Ik wilde Wilfried gaan zoeken om hem te vragen om papa te brengen maar hij zou wel te voet gaan, zei hij. Het was niet ver... En toen was hij dood.'

Tigla begon zachtjes te huilen.

'En een jaar later weten we nog altijd evenveel en jullie zeggen nog altijd niets...'

Witse legde één hand op haar schouder. Meer durfde hij niet.

'Ik kan je alleen iets zeggen als ik zeker ben, Tigla...' Hij zuchtte. 'Sorry dat we nogmaals alles moesten oprakelen. Ik zal u naar huis laten brengen. Je bent bedankt voor je hulp. En we doen onze uiterste best. Je hebt mijn woord.'

19

Dit was wat Witse op zijn bureau vond, toen hij de volgende dag op kantoor aankwam.

BLADLUIS EN PERSMUSKIET
Het Grote Blad van de Kleine Man

WITSE DE WAANZINNIGE IS TERUG
Van uw redacteur ter plaatse

BRUSSEL – Een jaar nadat hij onze hoofdstad choqueerde met een schietpartij waarvan ze zelfs in Chicago zouden schrikken, werd commissaris Witse, ondertussen weggepromoveerd naar Halle, opnieuw opgemerkt in Brussel.

Hij dook op bij het immobiliënkantoor van Albain Dictus, de dappere informant die hij vorig jaar op een laffe manier neerschoot. Samen met een nog onbekende handlanger drong hij brutaal binnen in het schoonheidssalon van Dictus' lieflijke verloofde. Nochtans heeft Witse een verbod gekregen om zich nog in de buurt van Dictus te vertonen. Het is hem eveneens verboden om nog politiedaden te stellen op het Brusselse grondgebied. Hoofdcommissaris Keysers was alvast niet op de hoogte van Witses laatste demarche. Gevraagd om een reactie, schold commissaris Witse ons op vulgaire wijze uit: hij riep dat we, en wij citeren, "onze ballen in een wafelijzer" moesten steken. Wij herinneren onze lezers eraan dat Bladluis en Persmuskiet altijd herhaald hebben dat het onverantwoord was om Witse de Waanzinnige na zijn crimineel gedrag van vorig jaar in functie te laten. Het getuigde van een enorme naïviteit om te geloven dat deze cowboy zich aan afspraken zou houden. Of wist Witse te veel om hem te kunnen ontslagen? Bladluis en Persmuskiet beloven u plechtig dat deze stinkende potjes niet lang bedekt zullen blijven.

Daarop volgden twee bladzijden met foto's van Witse en Dimitri terwijl ze voor het immobiliënkantoor stonden te wachten, Witse in gesprek met de eigenaar van het immokantoor, Witse die Jeannines salon buitenrende... (Daar stond onder: 'Witse rent voor zijn leven terwijl Jeannine, Albain Dictus' temperamentvolle partner, hem de volle laag geeft,' terwijl hij gewoon rende vanwege de regen!) In kadertjes stonden interviews met de eigenaar van de immozaak ('Ik vond het al raar. Hij zei dat hij van de politie was, maar hij liet zijn kaart niet zien.') en met de klante die in Jeannines zaak was toen Dimi en hij binnenkwamen ('Hij blafte gewoon: "Is Albain daar?" en toen Jeannine naar zijn goesting niet snel genoeg antwoordde, stormde hij naar achteren, zomaar het huis van Jeannine binnen. Zoals in een Amerikaanse gangsterfilm!') Jeannine zelf had niet willen reageren. 'Ze was nog te aangedaan,' schreef het blad, maar Witse dacht tevreden: toch nog iemand op wie ik kan rekenen.

Witse verfrommelde het roddelblaadje tot een prop en keek uitdagend rond. Daar stonden ze allemaal, zijn collega's. Van Deun genoot van de ondergang van zijn tegenstrever. De gluiperd kon een glimlach niet onderdrukken. Zijn hele houding straalde zelfvoldaanheid uit en hij richtte zijn blikken afwisselend op Witse en op hoofdcommissaris Ilse Vandecasteele. Die blik zei: 'Hàd ik het niet gezegd? Maar nee, niemand wou naar mij luisteren, het was altijd Witse Witse Witse. Witse zou mijn dossier wel oplossen. Nu zie je wat er gebeurt!'

Dams verschool zich achter Van Deun en keek naar zijn schoenen. Van hem hoefde hij geen steun te verwachten. Dimitri was kwaad. Dat kon Witse wel begrijpen: hij had hem nooit ingelicht over zijn verleden, en de reden waarom hij naar Halle was overgeplaatst. 'Omdat Keysers het met mijn vrouw doet' – meer had hij er niet over gezegd. Zodra ze alleen waren, zou hij hem het hele verhaal vertellen.

Ilse Vandecasteele was ook kwaad, zij het om een andere reden. Zij had net een bolwassing gekregen van Paul Keysers, die razend was omdat hij in de pers had moeten lezen dat Witse zijn afspraak niet was nagekomen.

En o ja. Paul Keysers was er zelf ook. Hij was de krant persoonlijk komen brengen. Aardig van hem.

'Je had me gevraagd om het onderzoek mee te voeren,' bracht Witse in.

'Ik had je gevraagd om mee na te denken en om ons iets te laten weten als jouw onderzoek hier iets opleverde!' riep Keysers. 'Ik heb je niet gevraagd om naar Brussel te komen en zelf op onderzoek te gaan, en ik heb je nog minder gevraagd om Albain Dictus te gaan opzoeken! Hoe moet ik dit gaan uitleggen aan de media? Sinds dat artikel staan ze er allemaal: VTM, VRT, alle kranten, alle tijdschriften.'

'Wat interesseert jou het meest, Paul Keysers?' siste Witse, terwijl hij opstond. 'De waarheid, of de media? Wat is het belangrijkst, dat we de dader vinden van deze moord, of dat jij in een goed blaadje blijft staan bij je vriendjes van de televisie?'

'We willen allemaal de dader vinden, Witse,' zei Vandecasteele. 'Alleen heb jij je akkoord verklaard dat je nooit meer politiedaden zou verrichten in Brussel. En dat je nooit meer met Albain Dictus zou werken.'

'Je ging er zelf mee akkoord dat we Albain zouden gebruiken als informant!'

'Eén keer, en op voorwaarde dat niemand anders er iets van wist. Ik heb u nooit mijn akkoord gegeven om een jaar na de feiten alweer voor Albains deur te staan!'

'Maar Albain stond eerst voor *mijn* deur!' riep Witse. 'Hij is mij komen opzoeken!'

'Dat weet de publieke opinie niet.'

'Naar de hel met de publieke opinie. Er zijn twee moorden gepleegd..'

Keysers onderbrak hem. 'Het zou helpen als jij iets minder van jezelf geloofde dat jij de enige bent die deze zaak tot een goed einde kan brengen. Als je niet oplet, word je echt geschorst, Witse.'

'Dat zou jij graag hebben, nee?' siste Witse.

'Genoeg!' riep Vandecasteele. 'Paul, jij gaat terug naar Brussel en je zegt tegen de pers dat het de eerste en laatste keer is dat Witse zich nog in Brussel heeft vertoond. En zeg maar dat het Comité P een onderzoek begonnen is: dat duurt sowieso een paar maanden, en tegen dat de resultaten er zijn, zijn de media deze zaak al lang vergeten. Als er onderzoeksdaden gesteld moeten worden, dan doen jouw mensen die, of ik stuur Dams en Van Deun.'

Van Deun glunderde. Hij kreeg zijn dossier terug!

'Witse,' ging Vandecasteele verder, 'jij komt niet meer in Brussel. Je volgt de zaak van hieruit. Je beantwoordt geen enkel telefoontje van de pers. Als je ze toch aan de lijn krijgt' – Ilse Vancasteele zette twee dreigende stappen naar voren en benadrukte haar woorden – 'dan verwijs je ze naar mij door, *en je blijft beleefd*. Je houdt je vulgaire opmerkingen en beledigingen voor jezelf, begrepen? En ik suggereer dat je vandaag vrijaf neemt. Zet je gsm af, beantwoord de telefoon niet, ga er even tussenuit. Het is beter weer dan gisteren.'

Ze keek zo streng dat Witse niet durfde tegenpruttelen.

'Dams en Van Deun.'

Van Deun sprong bijna in de houding, toen de hoofdcommissaris zijn naam blafte. Dams kwam sidderend van achter zijn partner vandaan.

'Als Paul het ermee eens is, rijden jullie naar het schoonheidssalon van Jeannine. Jullie observeren: wie komt er binnen, wie komt er buiten? Neem foto's van iedereen. Als Albain opduikt, dan rekenen jullie hem in. Vanaf morgen wordt haar telefoon afgeluisterd. Is dat begrepen?'

Toen iedereen knikte, zei ze: 'Mooi, dan beschouw ik dit incident als gesloten. Iedereen aan het werk.'

Ze beende het kantoor uit, gevolgd door Dams en Van Deun. Paul Keysers maakte ook aanstalten om op te krassen, maar toen iedereen buiten was, keerde hij nog even op zijn passen terug.

'Als de pers iets over Doris schrijft, als zij ook in deze storm terechtkomt, dan hang je, Witse. Knoop dat maar in die dove oren van je.'

Met een harde klap gooide hij Witses deur dicht.

20

Witse had het advies van de hoofdcommissaris gevolgd. Hij was zijn auto ingestapt en was beginnen rondrijden, tot hij in het midden van de velden stond. Zo ver het oog reikte, waren er enkel weien, boerderijen, tractors en bomen te zien. Boven het glooiende landschap hingen laag grijze wolken, maar de zon had ergens een gaatje gevonden om het vruchtbare Pajottenland te beschijnen, waardoor er prachtige kleurcontrasten ontstonden.

Hij was uitgestapt en had zich op de rand van een droge gracht gezet, zijn voeten tussen het onkruid van de bedding. Hoewel hij het niet van plan was geweest, had hij het artikel over zichzelf weer opengevouwd. Hij schudde het hoofd, vol verontwaardiging over zoveel moedwillig verkeerde informatie. Wat kon je tegen de pers beginnen? Ze konden schrijven wat ze wilden, de grootste onzin eerst. Als je reageerde, hadden ze nog altijd de macht om je woorden te verdraaien.

Bladluis en Persmuskiet, hij kende de namen. Vorig jaar, na de schietpartij die hem zijn carrière en zijn vrouw gekost had, waren zij in hun rubriek het felst van allemaal geweest – en dat betekende wat, want àlle kranten, tijdschriften en televisiezenders hadden zich toen laten gaan in een hysterische heksenjacht om hem niet alleen zijn job af te nemen, maar ook in de gevangenis te krijgen.

Wat als ze daar nu opnieuw mee begonnen? Wat als het niet stopte bij hem? Wat als ze, zoals Keysers vreesde, ook Doris in het vizier kregen?

Waarom had hij Keysers niet verteld dat de Zilvervis opnieuw opgestaan was? Had hij daar geen recht op, als hoofdcommissaris, en als Doris' man? Als Witse eerlijk was, moest hij toegeven dat hij het aan Keysers diende te vertellen. Maar hij stierf liever dan dat hij dat deed. Hij hoopte nog steeds dat de berichtjes een misplaatste grap waren. En indien niet, dan was het iets tussen hem en die gek...

Witse zag een auto naderen over het smalle landweggetje. Hij herkende de groene sportwagen van Dimitri. Zuchtend stond hij op.

'Ben je nog van plan me uit te leggen wat er aan de hand is?' zei Dimitri, toen hij uitgestapt was. Hij keek boos. 'Of verwacht je dat ik ga zitten luisteren naar alle roddels die ze op dit moment over je aan het vertellen zijn?'

Witse haalde geïrriteerd zijn schouders op, en wandelde weg.

'Wij zijn samen aan deze zaak bezig, Witse!' riep Dimitri. 'Ik heb het recht om de hele achtergrond te weten. Als het niet als je vriend is, dan nog altijd als politieman.'

Jaja, dacht Witse. Waarom verwachtte die jongen dat hij meteen zou praten? Hij moest eerst van dat beklemd gevoel in zijn borst af, en van de irritatie dat zijn gekoesterde eenzaamheid verpest was, en van de angst om Doris, en...

Dimitri gunde hem die tijd niet.

'Ik geef je vijf minuten om te beginnen praten,' zei hij dreigend. 'Doe je dat niet, dan rij ik terug en dan werken we nooit meer samen. Dan is het gedaan. *Schluss.* Ik kan niet om met een partner die mij niet vertrouwt.'

'Oké, het is goed!' riep Witse. 'Geef een mens in godsnaam even de tijd om na te denken hoe hij moet beginnen!'

Hij wandelde op Dimitri af. Die schrok van de gelaatsuitdrukking van zijn chef. Verdriet, angst, verwarring en wanhoop waren er op te zien. Witse deed ruw teken dat Dimitri op de oever van de gracht moest gaan zitten. Zelf nam hij naast hem plaats.

En dan begon Witse te vertellen wat hij een jaar lang verdrongen had. Hij had gehoopt dat hij het verhaal nooit meer aan iemand had moeten doen. Maar blijkbaar kan niemand aan zijn verleden ontsnappen. Hij had het als politieman zo vaak gezien bij daders: hun misdaad bleef hen hun leven lang achtervolgen, ook al waren ze nog zo van plan om met een schone lei te beginnen. Nu pas begreep hij ten volle wat ze daarmee bedoelden...

Alles was begonnen met een moord in het gokkersmilieu, zoals nu. Het leek een banale zaak. Frédéric Mailleux, een directeur van een louche goktent, werd teruggevonden met een mes tussen zijn ribben. Vrij snel wees het onderzoek naar klanten, die hun schulden niet hadden kunnen terugbetalen. Albain Dictus, die goede contacten had in het milieu, ook al omdat hij zelf geregeld gokte, hielp de politie discreet. 'Uitlokken, maar er altijd zelf buiten blijven,' dat was het motto waarmee hij en Witse al jaren samenwerkten. Albain zorgde ervoor dat de vermoedelijke daders aangezet werden om zichzelf te verraden, maar altijd zo dat niemand in het milieu hem verdacht. Per opgepakte dader kreeg hij 1000 tot 1500 euro.

Maar in deze zaak ging het anders. Een dag na de moord zat er een brief in Witses brievenbus. Zijn brievenbus *thuis*. Net als in de film, was de boodschap geschreven met letters die uit de krant geknipt waren.

Stop met onderzoek Frédéric M. Weer een klootzak minder.
Dader is held maar wenst anoniem te blijven.

Zilvervis

Bij de brief zat een foto van Witse met Doris, genomen tijdens een wandeling in het park van Ukkel. Het was niet duidelijk waarom die foto erbij zat, maar Witse interpreteerde het als een bedreiging.

Terecht, zo bleek. Uiteraard stopte Witse niet met het onderzoek. Hij zweeg over de brief tegen zijn collega's, maar pakte dezelfde dag nog drie gokkers op die zware schulden hadden bij Mailleux.

Een dag later zat er weer een foto in de bus. Nu één van Doris alleen, in een luchtig zomerjurkje. Haar gezicht was weggekrast, en op haar borst stond een Z gekrast. Zorro de Zilvervis. Er zat geen boodschap bij.

Nog steeds meldde Witse de brieven niet aan zijn overste, Paul Keysers. Hij vroeg wel aan Albain Dictus om discreet te informeren wie in het milieu wist waar hij woonde en met wie hij getrouwd was, en wie geschift genoeg kon zijn om dergelijke beangstigende spelletjes te spelen. Albain legde zijn oor te luister, maar kon Witse niet helpen.

Toen kreeg Witse thuis telefoon. Het was nog vroeg en Witse zat op bed te worstelen met zijn sokken. Doris, die in de keuken koffie aan het zetten was, nam op. Witse hoorde meteen dat er iets mis was.

'Dit moet een vergissing zijn,' zei ze.

'Moet u mijn man spreken?' Ze klonk nerveus.

'Meneer, ik ben hier niet van gediend.'

Ze legde boos in.

'Wie was het?' vroeg hij zo kalm mogelijk.

'Een hijger. Zielepoot.'

'Het klonk niet als een hijger.'

'Het was een hijger!' zei Doris met nadruk.

Toen ging de telefoon opnieuw.

'Niet opnemen!' siste Doris nog voor Witse kon opstaan. 'Alsjeblief Witse, laat het rinkelen. Als we van bij het begin niet antwoorden, dan stopt hij wel.'

Maar Witse wilde weten wie het was. Hij wilde zijn stem horen, hij wilde hem zeggen dat hij moest ophouden met de grapjes, hij hoopte hem lang genoeg aan de lijn te houden om hem te identificeren of om misschien een afspraak te maken zodat ze hem zouden kunnen oppakken...

'Ken je dat gevoel?' zei een stem die Witse niet herkende aan de andere kant van de lijn. 'Je hebt een idool, op wie je heimelijk een beetje verliefd bent. Je wil alles over haar weten. Je verzamelt foto's van haar. Je leest alles wat je over haar kan vinden. Over haar, en haar familie, haar man. Je leeft mee met haar leed, de kinderen die ze verloor, de passie die langzaam uitdooft, de liefde die verslenst... Na een tijdje voelt het alsof ze je beste vriendin is. En dan ontdek je dat ze bij je in de buurt woont. Ze wordt echt bereikbaar. Je ziet haar wandelen met haar man in het park, je ziet haar dralen bij etalages van dure kledingzaken.

Ze lijkt zo vertrouwd, het is bijna onbeleefd dat je haar niét aanspreekt, alsof je een vriendin van jaren negeert. Dus op een dag raap je je moed samen en je spreekt haar aan. En dan plots slaat de realiteit als een rauwe vis in je gezicht. Ze snauwt je af, ze gooit de hoorn neer, ze is bang van je. Witse, jij weet wat die teleurstelling met mensen doet.'

'Wat wil je?' vroeg Witse.

'Witse, ik ben je vriend. En ik ben Doris' vriend. Ik help jou. Ik maak de wereld een betere plaats.'

'Bedoel je dat je nog mensen gaat vermoorden?'

'Tsk, Witse... Alleen mensen die het verdienen. Ik doe wat jij doet: deze wereld veiliger maken.'

'Misschien kunnen we een afspraak maken?' zei Witse. 'Dan kunnen we hierover verder van gedachten wisselen.'

'Denk je dat ik dom ben, Witse? Als ik jou was, dan deed ik alles om mij nooit meer te horen of te zien. We hebben een pact, Witse. Een niet-aanvalspact. Als jij je aan de afspraken houdt, dan garandeer ik je dat we in de beste verstandhouding zullen samenwerken.'

Daarop werd de verbinding verbroken.

Doris was in alle staten toen hij, daartoe door haar gedwongen, vertelde over de brief en de foto. Zijn eigen vrouw werd bedreigd en hij vond het niet nodig om dat aan haar te vertellen, laat staan om de politie ervan op de hoogte te brengen. En dan dacht je dat je veilig was als je met een agent getrouwd was! Wel, als hij het niet deed, dan zou zij zelf Paul Keysers inlichten!

Ze nam de telefoon en belde Keysers op. Die nam de bedreiging onmiddellijk ernstig. Hij begreep niet waarom Witse hem niet eerder op de hoogte had gebracht. Als het leven van je eigen vrouw op het spel stond... Doris en Keysers peperden het hem de daaropvolgende dagen tientallen keren in: zijn zwijgen was onbegrijpelijk, een echtgenoot onwaardig.

Witse pauzeerde. Met een bittere trek om de mond staarde hij over het landschap. De wolken werden dreigender, maar voorlopig regende het niet. Hij stampte in de modder van de gracht.

'Ze waren twee handen op één buik,' sneerde hij. 'Het leek alsof ze uit één mond spraken. Doris en Keysers, één front tegen Witse, de onverantwoordelijke echtgenoot. Als ik daaraan terugdenk, wetende wat ik nu weet...'

Hij spuwde in het gras.

Doris werd onder bewaking geplaatst. Paul Keysers stelde zich persoonlijk garant dat haar niets overkomen zou. Persoonlijk garant, dat mocht men letterlijk nemen: meestal nam hij zelf de bewaking waar. Hij week haast geen seconde van haar zijde, en als iemand anders haar lijfwacht speelde, dan belde hij ieder uur om te checken of alles in orde was. Het ergerde Witse, vooral omdat Doris over bijna niemand anders meer praatte dan Keysers: dat hij zo'n charmante, grappige man was, die altijd voor haar klaar stond enzovoort. En ik mag de misdaad oplossen, morde Witse in zichzelf, terwijl mijn baas mijn vrouw charmeert.

Albain zag hij die dagen zeer vaak. Dictus leverde hem tip na tip die hem dichter bij de moordenaar brachten. Hun samenwerking had nooit zo goed gelopen als toen. De psychopaat, als het er een was, liet bovendien niet meer van zich horen, waardoor Witse begon te vermoeden dat het toch een grappenmaker was geweest.

Tot de dag toen hij zijn beslissende slag wou slaan. Hij was op weg naar het kantoor, toen hij telefoon kreeg in de wagen.

'Je houdt je niet aan de afspraken, Witse.'

Witse zette zijn auto onmiddellijk aan de kant.
'Voor een afspraak moet je met zijn tweeën zijn,' zei hij. 'Ik had graag wat aanpassingen gemaakt, voor ik een pact met je sluit.'
'En die zijn?'
'Ik arresteer je, jij vertelt ons waarom je die moord pleegde, en waarom je mijn familie bedreigde. Dan krijg je een eerlijk proces waarin je de jury mag proberen te overtuigen van jouw waarheid. Dat is hoe wij in een beschaafd land afspraken maken. Het komt trouwens goed uit dat je belt. Ik was net op weg naar je.'
De man aan de andere kant van de lijn grinnikte.
'Het spijt me om je te moeten zeggen dat ik niet thuis ben. Maar ik wil je gerust ontmoeten om over ons contract te praten. Ik ben aan het picknicken in het Josaphatpark. Doris is hier ook. Ze heeft een verrukkelijk rood jurkje aan.'
Witse reed als een waanzinnige naar het park, dat zich tegen de drukke Lambermontlaan in Schaarbeek aanschurkte. Hij had Doris het rode jurkje inderdaad die ochtend zien aantrekken. Het was een niemendalletje dat hij haar ooit cadeau had gedaan, toen hij haar nog sexy kleding schonk. Ze had het nooit gedragen: ze vond de jurk ordinair en zag niet in waarom zij zich prikkelend moest kleden voor hem, terwijl hij elke avond als een zak aardappelen in de zetel mocht liggen snurken. Maar die dag had ze het aangetrokken. Voor het eerst. En niet voor hem, o nee, zeker niet: hij lag nog in bed toen ze de deur uitglipte.
Vlak voor hij aankwam, bracht Witse het kantoor op de hoogte. Hij had met opzet zo lang gewacht, omdat hij de kerel alleen wilde inrekenen. Liefst voor de ogen van Keysers. Om te tonen wie de verantwoordelijke politieman was.

Om Keysers in zijn gezicht te werpen: wie beschermt mijn vrouw het beste, de charmeur of de rechercheur?

Witse sprong uit zijn wagen en rende het park in. Het was een hete dag, het was er druk. Overal liepen verliefde koppels, schaars geklede meisjes, oudere dames die hun hondje uitlieten... Witse zag ze nauwelijks. Hij rende hen voorbij, botste tegen hen op, liep één keer zelfs tegen een stenen beeld.

Tot hij Doris eindelijk zag. Ze zat op een bank bij de vijver in een rustiger deel van het park. Tot zijn opluchting zag Witse dat ze niet alleen was. Paul Keysers zat naast haar. Op dat moment was Witse blij hem te zien. Dat betekende dat ze veilig was.

Zijn gsm rinkelde.

'Dat was snel,' zei de treiterige stem. 'Heb je een fles wijn bij je?'

'Waar ben je?' vroeg Witse.

'O... dichtbij. Heel dichtbij.'

'Waarom kom je niet gewoon tevoorschijn? Weet je wat ik denk?' zei Witse. 'Ik denk dat je je eigenlijk wil aangeven. Je houdt van spelletjes, maar je hoopt dat we je zullen vinden. En je hebt gelijk. Een mens voelt zich veel gelukkiger als hij in het reine komt met zijn daden, zelfs al is het een misdaad. Hij snakt ernaar om te bekennen, om te *biechten*. Dat is wat jij wil doen.'

De stem lachte stil.

'Kijk eens naar Doris,' zei hij. 'Ze is mooi, in die jurk. Een uitstekende keuze, Witse. Jammer dat ze ze nooit eerder heeft willen dragen.'

'Laat Doris hierbuiten. Zij heeft hier niets mee te maken.'

'Doet het je goed te zien dat ze nu gelukkig is, Witse?'

Witse werd korzelig van die opmerking.

'Wat bedoel je?'

'Zeg me niet dat je niets aan haar merkt, Witse. Dan ken je je vrouw nog slechter dan ik al vreesde.'

Witse zweeg en staarde naar Doris en Keysers, die in een geanimeerd gesprek waren. Doris lachte hard, Keysers vertelde duidelijk een vermakelijk verhaal.

'Ze strààlt, Witse. Ze is gelukkiger dan ze met jou ooit is geweest.'

Op dat moment kuste Doris Keysers. Witse weigerde eerst te geloven wat hij zag, maar die snelle kus werd gevolgd door een lange. Een hele lange. Een ondraaglijk lange. Doris tongzoende Paul Keysers als een meisje van zestien, dat voor het eerst meegesleept wordt door de drang van haar lichaam. Ze zoende zoals ze voordien enkel met Witse had gezoend, toen ze elkaar als late pubers ontmoet hadden. Het moet van die tijd geleden geweest zijn dat ze zich nog zo aan iemand had overgegeven.

Witse staarde ernaar. Hij was aan de grond genageld. Dat mensen zolang aan een stuk kùnnen zoenen, dacht hij. Moeten ze dan niet ademen? Of slikken? (De idiote gedachten die je op zo'n moment denkt!)

Keysers' hand gleed over Doris bovenbeen en duwde de rand van het nochtans al erg korte rokje nog een beetje meer omhoog. Zijn vingers knepen in haar dij. Tot zijn ontzetting zag hij Doris' hand onder Keysers' hemd kruipen.

Jaloezie versterkt de werking van je zintuigen. Geen enkel detail blijft nog onopgemerkt. Witse zag de rilling over Doris' rug lopen, toen Keysers zijn hand helemaal onder het jurkje liet verdwijnen. Hij zag hoe ze seconden voorbij liet gaan, voor ze die hand tot de orde riep. Hij zag hoe Doris steeds enthousiaster zoende en hoe een schouderbandje van haar jurk afzakte. Ze had geen bh aan.

Hadden ze dan geen enkele schaamte? Dit was een park! Iedereen kon hen zien! Maar niemand anders scheen zich aan de twee zoeners te storen. Mensen van vijftig die kussen en elkaar bepotelen in het park, het komt steeds vaker voor.

'Zou je haar nu willen doden, Witse?' vroeg de stem aan de telefoon.

Ja, dacht Witse, ik zou haar nu willen doden.

'Je hebt een pistool bij je,' zei de stem.

Witse kon nauwelijks nog helder denken. Hij wilde de telefoon van zijn oor rukken en weggooien maar tegelijkertijd kon hij de stem niet missen. Het was zijn enige boei in de zee van wanhoop die hem dreigde te overspoelen. Hij had het gevoel dat hij het zelf was, die door de gsm tegen hem sprak; zijn gemene tweeling, de duivel in hem, maar ook de man in hem, zijn krachtige ik, de Witse die niet met zich liet sollen. Als hij die telefoon liet vallen, dan zou de slappe Witse de overhand nemen. Hij zou instorten, zich van een rots gooien. De stem in de telefoon hield hem overeind.

'Of zal ik het voor je doen?' klonk het. Witse antwoordde niet, maar het leek alsof de stem zijn gedachten kon raden.

'Je durft niet. Je bent bang voor je carrière. Je hebt geleerd dat doden slecht is, dat jaloezie een slechte raadgever is... Witse, doden is niet slecht. Het gaat erom wie je doodt... Ik wil het voor je doen, Witse. Allebei. Die kwal van een Keysers en je Doris, die zo op je hart trapt.'

'...'

'Je mag me nadien inrekenen. Twee vliegen in een klap. Ik doe wat jij niet durft, Witse. Ik neem jouw wraak. En dan laat ik me door jou oppakken. Je hebt gelijk: ik *wil* gevat worden. Ik snak ernaar om te bekennen. Maar ik wil het nog één keer doen, nog één keer iemand omleggen. Precies wat jij ook wil, Witse. Je kunt allebei hebben: je wraak en je promotie. Superflik Witse die de moordenaar inrekent, maar er helaas zijn eigen vrouw bij verliest.'

De woorden galmden in Witses hoofd. Hij zette twee passen vooruit, wankelde dan weer achteruit. Zijn hand streelde zijn dienstwapen. Doris liet haar hand speels over Keysers' kruis glijden. Hij zoende haar in de nek.

Witse vocht tegen de verleiding. Hij vocht tegen de stem. Zijn hand omvatte de kolf van zijn pistool.

'We doen het, Witse,' zei de stem. 'Je hoeft niets te zeggen. Leg je telefoon maar neer. Hier komt je wraak.'

Dat was het teken voor Witse om zich eindelijk los te rukken uit de betovering van jaloezie en wraak. Met haast bovenmenselijke kracht gooide hij zijn gsm van zich af en rende op Keysers en Doris toe.

'Nee!' riep hij.

Keysers en Doris keken op. Toen ze Witse herkenden, lieten ze elkaar verschrikt los.

Op hetzelfde ogenblik kwam er een man uit een aanpalend bosje gelopen.

Witse trok zijn pistool.

Keysers sperde zijn mond wijdopen.

De man kwam recht op Keysers en Doris afgerend.

Keysers sprong op en trok ook zijn pistool.

De mensen in het park gilden en renden weg.

Witse brulde een onverstaanbare vloek en richtte.

Keysers krijste 'Witse nee!' en richtte ook.

De man was angstig dichtbij. Hij stak zijn arm uit. Het was onduidelijk wat hij in zijn hand had.

Witse vuurde. Paul Keysers vuurde ook. Op het moment dat ze allebei de trekker overhaalden, sprong de onbekende man tussen hen in. Hij dook naar Doris, kreeg haar te pakken en rolde met haar over de grond. Doris gilde en vocht. Haar jurkje scheurde. Ze scheen de overhand te halen. Of beter: de man vocht niet echt. Doris slaagde erin om hem op de grond te duwen en aan zijn klauwen te ontsnappen. Ze rende weg maar struikelde. Keysers liep naar haar aanvaller en greep hem vast. Toen pas zagen ze dat de man bleef liggen.

Op Doris' rode jurkje zaten verse bloedvlekken. De man was geraakt door twee kogels: een in zijn zij en een in zijn bovenbeen. Hij lag brullend en kreunend en bloedend als een rund op het gras.

Het was Albain Dictus.

Witse keek Dimitri met lege ogen aan. De eerste regen was begonnen te vallen, maar dat merkte hij nauwelijks.

'Albain had een tip voor mij, beweerde hij. Hij had gebeld naar het kantoor, en die zeiden dat ik in het Josaphatpark was. Hij was me komen zoeken. Hij wist het van Doris en Keysers. Iederéén wist het, behalve ik. Toen hij me zag, met mijn pistool in de hand, heeft hij Doris willen redden. We hebben hem allebei geraakt, net toen hij voorbijliep.'

'Heb je echt op Keysers geschoten?' vroeg Dimitri.

'Ik weet niet op wie ik schoot. Op Keysers, op Doris, op Albain die kwam aanrennen en van wie ik dacht dat hij die kerel aan de telefoon was...'

Witse zuchtte.

'Sindsdien ben ik bang van mezelf,' zei hij met trillende stem.

Dimitri keek naar zijn schoenen, die met modder bedekt waren. Hij stak zijn arm onhandig uit, twijfelde of hij Witse zou omhelzen, sloeg uiteindelijk maar gewoon een paar keer op zijn rug.

'Omdat Keysers en ik allebei geschoten hadden, werd de zaak in der minne geregeld,' vervolgde Witse. 'De pers maakte groot schandaal, natuurlijk. Vooral deze mannen hier.' Hij tikte op het artikel van Bladluis en Persmuskiet. 'Ik werd overgeplaatst naar Halle en kreeg verbod nog in Brussel te komen, of me met Albain in te laten. Keysers bleef hoofdcommissaris maar beloofde evengoed om nooit meer met hem te werken. Ik geloof zelfs dat Albain nooit betaald werd voor zijn tips. Het onderzoek naar de moord op die casinobaas werd stilgelegd. Alles om de zaak zo snel mogelijk een stille dood te laten sterven. Wat dat betreft is de Zilvervis in zijn opzet geslaagd.'

'En die Zilvervis?'

'Verdwenen. Niet naar gezocht, en nooit meer opgedoken.'

Om een of andere reden vertelde hij niet over de boodschappen die hij de laatste dagen ontvangen had.

Er viel een stilte.

'Jezus,' zei Dimitri. 'Een echte psychopaat.'

Hij blies bewonderend. 'Dat hebben we hier in Halle niet. Met onze huis-, tuin- en keukenmoorden.'

Hij lachte kort, om de sombere sfeer te verlichten.

Witse lachte schamper.

'Ik geloof daar niet in. Een misdadiger, dat is een sukkelaar zoals jij en ik. Het is een gewone mens die op een bepaald moment de verkeerde keuze maakt, of die door omstandigheden gedwongen wordt om de wet te breken.'

'Maar die telefoontjes dan? Dat *is* toch zoals in de film?'

'Hoe lang werk jij al voor de politie, Dimitri? Geloof je

nog altijd in huurmoordenaars van Opus Dei die een geheime deal gesloten hebben met Osama bin Laden om de macht van de Loge te breken? En iets met een pedofilienetwerk erbij? Organenhandel? Internationale drugstrafiek? Of waarom niet: een buitenechtelijk koningskind dat zijn vader vermoordt terwijl die in een atoomschuilkelder aan SM doet met de minister van Justitie?'

Witse stond op en legde zijn handen op Dimitri's schouders. Hij keek hem recht in de ogen. 'Wij zijn op zoek naar een sukkelaar. Een gewone mens. Een huis-, tuin- en keukenmisdadiger. Die misschien een film te veel gezien heeft en een steek los heeft, zeker, maar ook niet meer dan dat. Zoek het nooit te ver, jongen.'

Met die woorden stond hij op en wandelde naar zijn auto.

'Ik ga maar eens naar huis. Het is alweer aan het regenen. Vreselijk land. Misschien moet ik mijn was maar eens doen. '

21

Franky Smegghe kende zijn vriend Giorgio Goossens als een luie man, die zelden initiatief toonde en bijna altijd dronken was. Zoals de meeste succesvolle duo's drijven op de energie en het talent van één van de twee (Smegghe dacht dan automatisch aan Simon & Garfunkel, zijn favoriete band), zo was ook Bladluis en Persmuskiet een soloproject van de Franky Smegghe Media Maatschappij. Goossens nam hij erbij omdat een duo meer autoriteit uitstraalde. Kwamen er klachten, dan kon Smegghe altijd zeggen: 'Dat stukje heeft Goossens geschreven.' Net zo, zo stelde Smegghe zich voor, had Paul Simon Art Garfunkel naast zich geduld. Om de aandacht af te wenden van zijn persoon, naar de liedjes. En zat er eens een slechter nummer tussen, dan zei hij: 'Ik moet Art toch ook iets gunnen.'

Maar nu was Goossens veranderd. Hij kwam nuchter werken. Sterker: als Smegghe rond de middag voorstelde om aan de cognac te beginnen, weigerde Goossens met de glimlach. Voor het eerst in hun twintigjarige samenwerking, kwam Goossens zelf met ideeën voor artikels aandraven. Hij verscheen voor tien uur op de redactie, begon onmiddellijk te werken, leverde zijn kopij op tijd in en ging rond zeven uur naar huis. Als Smegghe voorstelde om nog even door te zakken, dan glimlachte hij mysterieus en zei: 'Ik heb al een afspraak.'

Nu, des te beter: er was werk genoeg. Na hun artikel over Witse was de zaak ontploft. Burgemeester, hoofdcommissaris, ja zelfs ministers rolden over elkaar heen om verontwaardigde verklaringen af te leggen. De oppositie eiste het ontslag van Witse. Fotografen kampeerden voor het politiekantoor van Halle en het commissariaat in Brussel. In alle kranten werden de gebeurtenissen van vorig jaar opgerakeld. Twee concurrerende televisieploegen waren bezig met dezelfde reportage, voor het duidingsmagazine.

En niemand van hun collega's die vermeldde dat het Bladluis en Persmuskiet waren geweest die de kat de bel aangebonden hadden!

Daar was Smegghe nu al een hele ochtend mee bezig: met redacties op te bellen en een bronvermelding te eisen. Waar was de deontologie naartoe? Hun antwoorden maakten hen razend: Bladluis en Persmuskiet werden niet gerekend tot de ernstige pers, een medium dat zichzelf serieus nam kon onmogelijk verwijzen naar riooljournalisten als zij. Smegghe kwam scheldwoorden te kort om die gatlikkers, die jarenlang gesmeekt hadden om hen in te lijven, hun vet te geven.

Nadat hij de hoorn had opgelegd na weer een scheldtirade, en twee kalmeerpilletjes had doorgespoeld met een whisky, kwam Goossens glunderend op hem af. Hij gooide een grote envelop voor hem op tafel. Smegghe haalde er drie foto's uit. Ze waren onscherp, maar de personen op de foto waren herkenbaar. Het waren Witse en Doris, aan een tafeltje in een Brussels café, vlakbij het Justitiepaleis. Ze keken in elkaars ogen en hielden elkaars handen vast. Op de volgende foto stond Paul Keysers erbij, met een zure trek om zijn mond. Witse en Doris leunden nu naar achteren in hun stoel, hun handen onder tafel. Doris keek smekend naar Keysers. Op de laatste foto, die wel scherp was, zat Witse alleen aan het tafeltje. Hij keek met betraande ogen uit het raam. Zijn mond onderdrukte een huilkramp.

Smegghe keek Goossens lang aan. Zonder iets te zeggen, omhelsde hij zijn collega. 'Dit is materiaal voor een Pulitzerprijs,' zei hij.

'Een hele goeie tipgever,' grijnsde Goossens. 'We zullen onze mening moeten herzien. Ze bestaan nog wél.'

'En nu drink je een cognac mee,' beval Smegghe. 'Dit moet gevierd worden.'

22

'Witse!' siste Ilse Vandecasteele. 'We hebben hem!'

Witse slenterde lusteloos naar haar bureau. Daar stond de bandopnemer die verbonden was met de telefoon van Jeannine. Ze was aan de lijn met Albain. De spoelen draaiden.

'Schatje, maak je niet zo ongerust,' hoorden ze Albain zeggen. 'Ik heb in mijn leven veel uitgespookt, maar ik heb nog nooit tegen jou gelogen.'

'Waarom kom je dan niet naar huis?' beet Jeannine. 'Witse is hier geweest. Om jou te zoeken, in verband met twee moorden! En dan mag ik mij niet ongerust maken!'

'Zie je mij nog graag?' vroeg Albain.

Jeannine maakte een onbestemd geluid. Albain koos ervoor om dat als bevestigend te interpreteren.

'Wees dan kalm. Ik zweer dat ik niets maar dan ook niets met die zaak te maken heb.'

Witse blies geïrriteerd. 'We hebben helemaal niks,' zei hij. 'Hij maakt haar hetzelfde wijs als ons.'

'Geduld, Witse,' zei Vandecasteele. 'Nog even, en dan maakt hij een fout.'

Geduld! Hoe kon hij geduld hebben als hij gedwongen werd zijn zaak uit handen te geven, en van in Halle moest toezien hoe nietsnutten als Van Deun en Keysers de boel in het honderd lieten lopen? Want daarvan was hij overtuigd: als het van die twee afhing, dan werd de zaak nooit opgelost. Alleen hij kende Albain goed genoeg om hem in de val te lokken. Maar nee, één artikeltje in een sensatieblad was genoeg om hem van de zaak te halen. Het oplossen van een dubbele moord was blijkbaar minder belangrijk dan het sussen van de pers.

Mopperend was Witse weer naar zijn eigen kantoor gegaan. Daar wachtte een nieuwe zaak op hem, die Vandecasteele hem in haar goedertierenheid had gegund. Nu ja, zaak. Een man die zijn vrouw had gewurgd omdat ze hem bedroog. Hij was zichzelf gaan aangeven en had bekend. Daar was toch geen lol aan!

Zijn telefoon ging. Witse nam op.

'Dag Witse.'

De stem kwam hem bekend voor, maar hij kon ze niet plaatsen.

'Het is lang geleden,' zei de stem.

'Als dit een spel is, stop er dan maar mee. Ik heb veel werk,' bromde Witse.

'Een dom dossiertje van een bedrogen zielenpoot die al bekend heeft? Tsss, Witse, als dat voor jou veel werk is, dan ben je het laatste jaar veranderd.'

Een kilte omsloot Witses hart.

'Met wie praat ik nu?' Zijn stem kraakte.

'Ik dacht dat wij een afspraak hadden, Witse. Ik zorg ervoor dat de klootzakken hun verdiende loon krijgen, jij hindert me daar niet bij. Het is een jaar goed gegaan. Waarom moet jij die afspraak schenden? Heb je je les dan niet geleerd?'

'...'

'Ik ben bang dat mijn geduld op is, Witse.'

'Ik hou me niet meer met die zaak bezig,' hijgde Witse.

'Denk je dat ik naïef ben? Tss, je bent echt veranderd.'

'Laat me met rust.'

'Nee, Witse. Jij laat mij ook niet met rust. En die klootzak van een Keysers al evenmin. Ik denk dat ik precies de manier gevonden heb om jullie allebei te doen boeten voor jullie ondankbaarheid.'

'Laat Doris erbuiten!' riep Witse.

Maar de man aan de andere kant van de lijn had al ingelegd.

'Is alles in orde?'

Ilse Vandecasteele stond in de deuropening. Ze keek bezorgd. Witse antwoordde niet. Hij staarde door het raam.

'Witse?'

Witse keek op. Hij humde verward iets onduidelijks.

'Of alles in orde is? Je klonk vrij geëxciteerd aan de telefoon.'

'O... Ja. Ja hoor. Alles in orde. Het was... Dams. Hij wilde weten... op welke knop van het fototoestel hij moest drukken om een foto te maken. Heb je ooit zo'n onhandige onbenul gezien?'

Witse glimlachte. Vandecasteele keek hem onderzoekend aan.

'Dams is een waardevolle agent, die ik goed kan gebruiken,' zei ze streng. 'Hij is trouw, doet zijn werk precies, vindt geen enkele taak te min en vooral: hij houdt zich aan de regels. Als ik enkel agenten zoals u in mijn team had, dan zou ik geen enkele moord oplossen.'

Witse haalde zijn schouders op.

'Bent u nog lang bezig met die passionele moord?' vroeg Vandecasteele.

Witse fronste smalend.

'Goed. Mag ik u dan vragen om even langs te rijden bij de weduwe Fonteyne? Er is daar een felle ruzie aan de gang.'

'Dat is voor de lokale politie.'

'Het zit er bovenarms op tussen Carla Maenhout en Patricia Fonteyne. De dochter heeft ons gebeld, ze vreest dat het uit de hand kan lopen. Wil u dat daar nog een moord gebeurt? Of laat de zaak u tegenwoordig helemaal koud?'

In de auto probeerde Witse zijn angsten te bedwingen. Hij herhaalde voor zichzelf wat hij ook Dimitri bezworen had: criminelen zijn sukkelaars. Het zijn mensen als jij en ik. Gewone mensen die een verkeerde keuze hebben gemaakt. Wat in films en boeken gebeurt, is het verzinsel van schrijvers die de misdaden van alledag te banaal vinden.

Het viel hem moeilijk. Met al zijn ervaring kon hij maar één reden bedenken waarom deze man, de Zilvervis, deed wat hij deed: omdat hij krankzinnig was. Een psychopaat. De man was blijkbaar uitstekend geïnformeerd. Hoe wist hij met welk dossier Witse bezig was? Hoe was hij vorig jaar aan al die foto's van Doris geraakt? Hoe kende hij zijn telefoonnummer? Ofwel was hij iemand die zeer dicht bij hem stond, ofwel werkte hij samen met iemand die dicht bij hem stond. Maar wie was dan het lek?

Angst is de emotie die je rationele denkvermogen het sterkst beïnvloedt. Witse had vaak gebruik gemaakt van dat principe: als je een misdadiger bang kreeg, dan maakte hij fouten, en dan had je hem. Zilvervis wist dat duidelijk ook. Een bange Witse was zo goed als uitgeschakeld.

Daarom moest hij vechten tegen die angst. Zilvervis was een sukkelaar. Een gewone man zoals jij en ik, een vat vol schuldgevoelens, complexen en angsten, smachtend naar liefde, bang voor afwijzing en voor de dood. Witse zei het luidop: 'Hij is een sukkelaar. Een gewone man. Niemand om bang voor te zijn. Ik ben een magneet die geluk aantrekt.'

Zo op zichzelf inpratend bereikte hij de villa Fonteyne.

Net op tijd, zo leek het. Op het moment dat hij zijn auto door het hek stuurde, zag hij in de voortuin Patricia Fonteyne en Carla Maenhout, die elkaar de huid aan het volschelden waren. Carla werd in een houdgreep geklemd door Wilfried Offermans. Tigla Fonteyne zat met haar huilende kinderen op de stoep. Ze schudde haar hoofd in ontreddering.

'Wat hebben jullie met hem gedaan?' krijste Carla. 'Laat me los, rotzak! Blijf met je handen van mij en mijn zoon!'

'Het is jouw zoon die met zijn handen van ons moet blijven!' riep Patricia.

'Stop hiermee!' brulde Witse.

Hij beende razend op de twee vrouwen af.

'Jullie lijken wel twee viswijven. Lossen jullie zo problemen op?'

Hij ging vlak voor hen staan. Tegen Offermans beval hij: 'Laat haar los.' De yup gehoorzaamde met veel tegenzin.

'Zijn jullie nog niet genoeg kwijtgeraakt, dat jullie ook nog eens elkaar gaan verstoten?' zei Witse. 'Hoe dikwijls heb ik het niet gehoord, in mijn verhoorkamer: "Carla is de enige die mij begrijpt", "Patricia is de enige die ik nog heb"... En nu staan jullie hier, klaar om elkaars ogen uit te krabben.'

'Maar commissaris,' snikte Carla, 'ze hebben mijn Roel iets aangedaan.'

'Dat is onzin!' riep Patricia. 'Roel wou ons iets aandoen!'

Witse hief zijn hand om haar het zwijgen op te leggen. Hij glimlachte bemoedigend naar Carla.

'Ik heb Roel al twee dagen niet meer gehoord of gezien,' begon ze.

'Dat zal ook niet de eerste keer zijn,' schamperde Offermans. Witse legde hem met een blik het zwijgen op.

'Toen hij net was vrijgelaten door jullie, heeft hij mij nog gebeld. Hij zei dat hij onze problemen ging oplossen. Dat gerechtigheid zou geschieden. Hij zei dat hij die avond naar huis ging komen en dat hij dan geld ging bijhebben. Veel geld... '

'Hij ging ons beroven!' riep Patricia.

'Als hij ons al niet ging vermoorden!' kwam Offermans tussen.

'Commissaris, luister nu ook even naar ons,' zei Patricia. 'Roel Maenhout heeft niet alleen zijn moeder gecontacteerd. Hij heeft mij ook gebeld. Om mij te bedreigen. Hij zei dat hij wist dat Flor die uitvinding van zijn vader had gestolen. Hij zei dat hij in mijn huis zou wonen en dat ik blij mocht zijn als ik zijn gras zou mogen maaien. Hij zei dat, als ik hem en zijn moeder niet gaf waar ze recht op hadden, dat... dat hij zelf gerechtigheid zou doen geschieden... Commissaris, we waren zo bang...'

'Maar Roel is niet komen opdagen,' zei Witse.

Iedereen schudde het hoofd.

'Niet hier, en niet bij zijn moeder, met het geld dat hij beloofd had.'

'Omdat zij hem eerst gepakt hebben!' krijste Carla. 'De monsters die mijn Marcel vermoord hebben!'

'Mevrouw Maenhout!' donderde Witse. 'Doe niet zo hysterisch!'

Carla huilde. 'Hij kwam inderdaad dikwijls niet naar huis, maar als hij belde dat hij kwam, dan stond hij er altijd. Hij klonk bovendien zo... zo anders.'

Witse knikte. Hij dacht na.

'Heb je al aangifte gedaan van deze onrustwekkende verdwijning?'

Carla schudde ontkennend het hoofd.

'Dan zullen we dat eens doen. En gaan jullie allebei maar meteen mee,' zei hij tegen Patricia Fonteyne en Wilfried Offermans. 'Dan mogen jullie een verklaring afleggen. Je kent de weg al, mag ik hopen?'

23

Roel Maenhout rukte aan de enkelboei, waarmee zijn been aan een bedstijl vastgeketend zat. Het bed rammelde maar verschoof geen millimeter. Het staal sneed in zijn huid. Hij onderdrukte een schreeuw en veegde kwaad de tranen weg, die door de pijn en de frustratie in zijn ogen sprongen.

Nu had hij zich mooi in nesten gewerkt. Nadat hij was weggerend van het Fontainasplein, had hij gemeend dat het beter was even onder te duiken. Hij had gedacht dat hij een adres kende waar hij altijd welkom zou zijn en waar niemand hem zou zoeken. Nu, welkom was hij zeker: hij mocht niet eens meer weg. En dat niemand hem hier zou komen zoeken, boezemde hem nu alleen maar angst in.

Zijn redder uit de hel, van wie hij de naam nooit gekend had, was niet thuis. 's Ochtends liet hij hem achter, rijkelijk voorzien van – toegegeven – zeer lekker eten, dat binnen bereik bij het bed werd neergezet. 'Voor zijn eigen veiligheid' werd hij geketend. Rond zeven uur kwam de man weer thuis, maakte hem los en verloor hem geen moment uit het oog. Als hij zou durven ontsnappen, dreigde hij, dan duurde het geen vijf minuten of er zou van zijn mooie lijfje geen splinter heel blijven. Daar had hij mannetjes voor. En als dat hem niet op andere gedachten bracht: zijn kidnapper had foto's van hem, terwijl hij mannen in hun auto bevredigde. Die zou hij naar zijn moeder en vriendin sturen.

'Witse zal me wel vinden,' had Roel overmoedig gepocht.

'Ik vraag niet liever dan dat Witse zich hier vertoont,' had de man gegrijnsd. 'Ik heb nog enkele foto's die ik hem wil laten zien. Al vrees ik dat ik ze zal moeten opsturen. Witse is bang van mij, liefje. Net als jij.'

Roel had de kranten gelezen, waarin de acties van Witse door alle Brusselse politici veroordeeld werden, en waarin werd opgeroepen tot zijn ontslag.

'Het enige wat jouw Witse kan doen, is braaf thuis blijven en eindelijk eens zijn keuken poetsen. Witse is een flik als alle anderen, lieve schat. Hij denkt aan zijn eigen hachje. Je denkt toch niet dat hij geeft om een hoer als jij?'

Waarop hij hem een lange kus op de mond had gegeven en met een vrolijk 'vanavond eten we kreeft!' de deur achter zich had gesloten.

En nu probeerde Roel het loodzware bed zover te slepen, dat hij aan de telefoon kon, die zo verleidelijk slechts één kamer verder stond. Hij kon hem zelfs zien. Soms rinkelde hij. Als dat gebeurde, kromp Roel in elkaar, alsof de beller aan de andere kant van de lijn hem zou kunnen horen.

Na drie dagen in dit donkere, sombere huis leek het alsof alles een bedreiging was: de buren die stommelden, de telefoon die rinkelde, elk geluid in het lege huis leek een voorbode van straf, vergelding, pijn, moord. Er waren uren dat hij geen beweging durfde maken, doodsbang dat zelfs het geschuifel van zijn sokken over de houten vloer de aandacht zou trekken van het nog onzichtbare maar overduidelijk aanwezige gevaar. Als na die uren van angst zijn hart iets rustiger ging bonzen, vervloekte hij zichzelf om de verloren tijd. Als hij hier levend uit wilde komen, moest hij risico's nemen, de telefoon proberen te bereiken, of een raam, of minstens krijsen totdat de buren hem hoorden.

Zo verliepen de dagen voor Roel Maenhout, afwisselend verlamd van angst en vruchteloos roepend om hulp, sleurend aan het bed, huilend van frustratie, tot de angst hem weer in zijn greep kreeg.

Witse stond in de deuropening van Annies kamer. Na het verhoor van de familie Fonteyne was hij dringend aan ontspanning toe geweest, aan iets wat zijn angst en beklemming zou verjagen. Zijn buurvrouw kon hem als geen ander opbeuren.

Annie was aan het telefoneren. Ze zat met haar rug naar de deur, zodat ze Witse niet zag staan. Hij wilde haar niet storen, dus wachtte hij even om binnen te gaan. Het leek een geanimeerd gesprek. Hij kon niet verstaan wat ze zei en deed ook geen moeite: hij vond het nooit kies om telefoongesprekken af te luisteren. Het deed hem goed om te zien dat ze opleefde.

Waarom deed hij deze job nog? Hij was bijna vijftig – zou het echt zo erg zijn als hij geschorst werd? Hij zou zich op andere zaken kunnen toeleggen, zaken die hem gelukkig maakten: zijn tuin verzorgen, zijn huis op orde houden, leren genieten van het rustige dorpsleven. Een hobby zoeken, lid worden van het wijkcomité… Meer tijd met Annie doorbrengen, misschien een nieuwe vrouw leren kennen…

Waarom maakte hij het zichzelf altijd zo moeilijk? Waarom kon hij niet genieten? Waarom kon hij zichzelf niet relativeren? Als hij de misdaden niet oploste, dan deed iemand anders het wel.

Hij hoefde enkel naar Brussel te rijden en bij Jeannine binnen te stappen. De volgende dag zou het in de krant staan, en dan werd hij geschorst en was het gedaan. Het verbaasde Witse dat hij niet eens tegen de gedachte vocht. Ze zeurde verleidelijk in zijn hoofd.

'Commissaris!' zei een stem. 'Dat u nog tijd vindt om Annie te bezoeken.'

Witse schrok op uit zijn gedachten en keek om. Daar stond de verpleegster met wie hij bij zijn vorige bezoek geflirt had. Opnieuw kreeg hij een knalrood hoofd.

'Ah... Ik... Ja...'

Had zij de krant gelezen? Kende zij zijn verleden?

'Hoe weet u dat ik commissaris ben?' bracht hij uiteindelijk uit.

'Annie houdt niet op met over u te ratelen,' glimlachte ze. 'Ik weet meer over u dan u zelf, denk ik.'

Witse glimlachte.

'Kathleen Antonis,' zei de verpleegster, en ze stak haar hand uit. Witse drukte die onwennig. Hij zocht naar een leuke opmerking, maar vond er geen.

'Ik wou haar bezoeken, maar ze is de hele tijd in gesprek,' zei hij uiteindelijk.

'O ja, en dat kan nog lang duren. Ze krijgt veel telefoon.'

'Gek... Ik dacht dat ze bijna niemand kende.'

'Gelukkig wel! We hebben hier veel oude patiënten naar wie niemand omkijkt. Annie heeft geluk met zulke vrienden.'

Ze lachte Witse warm toe. Hij voelde zich weer rood aanlopen en wist zich geen houding te geven.

'Ja... Nou... Goed. Ik wil haar niet storen. Ik kom later nog wel eens terug.'

'Dat zou heel leuk zijn, commissaris... Witse,' zei de verpleegster.

24

Voor Witse lag de nieuwste editie van Bladluis en Persmuskiet, het grote blad van de kleine man. De kop van het hoofdartikel luidde: DE VROUW DIE WITSE WAANZINNIG MAAKTE.

Twee volledige pagina's waren aan Doris gewijd. Het verhaal van haar overspelige relatie met Keysers werd omstandig uit de doeken gedaan én aangewezen als de oorzaak waarom Witse een jaar eerder door het lint was gegaan. Klap op de vuurpijl waren drie foto's van Doris, Keysers en Witse in het café, net nadat Doris en hij hun echtscheiding hadden afgehandeld. Het las als een fotostripverhaal: Doris en hij met hun handen in elkaar gestrengeld, Keysers die boos opdook, Witse die eenzaam met betraande ogen door het raam staarde. *'Na een jaar zijn verdriet verbeten te hebben, doet de feitelijke afhandeling van de echtscheiding de emoties weer oplaaien. Het heeft bij de sowieso al opvliegende politieman definitief de stoppen doen doorslaan. Het is wachten op de dag dat er doden vallen. Moet het echt zo ver komen, voor er iemand ingrijpt en deze man zijn wapen afneemt?'*

Doris had Witse om zeven uur die ochtend gebeld, in

tranen, met overslaande stem. 'Ik kan niet naar mijn werk, Witse. Er staan drie fotografen voor mijn deur, en een cameraploeg! Mijn telefoon stopt niet met rinkelen! Ik ging even de post halen, en alle buren stonden op de gang te roddelen. Over mij, Witse! Ze staarden me aan alsof ik besmettelijk was. Waarom heb je mij dit aangedaan? Waarom ben je weer naar Brussel gegaan? Waarom ben je Albain gaan opzoeken? Heb je dan geen greintje respect meer voor me?'

Elk woord was een mes door zijn hart geweest. Toen belde Keysers, om hem uit te schelden. 'Als die hetze morgen niet gestopt is, dan zorg ik er persoonlijk voor dat jij nooit meer bij de politie werkt, zelfs niet als derde secretaris van de verantwoordelijke van het kopieerapparaat!'

Later die ochtend vereerde de Brusselse hoofdcommissaris het kantoor van Halle opnieuw met een bezoek. Hij straalde een ijselijke rust uit, die wees op met moeite onderdrukte agressie. Zeker toen hij Witse zag, schoten zijn ogen haat.

'Hij hoeft er niet bij te zijn,' zei Keysers tegen Vandecasteele. 'Om overduidelijke redenen kan hij niet meer bij dit onderzoek betrokken worden.'

'Dat klopt,' zei Vandecasteele, 'maar om even overduidelijke redenen heeft hij, als betrokken partij, het recht te weten hoe het onderzoek verder gevoerd wordt.'

Keysers keek haar woedend aan, haalde dan zijn schouders op. 'Zoals je wenst.'

Toen iedereen zich rond haar bureau geschaard had, sprak Vandecasteele: 'Paul Keysers is hier omdat zijn mensen een ontdekking hebben gedaan die ons een hele stap vooruit kan helpen.'

'Correct,' zei Paul Keysers. 'Jullie herinneren je de plaats waar we Matthieu Delcroix gevonden hebben? We vonden toen geen moordwapen. Twee van mijn mensen hebben de hele week verder gezocht. Elke vierkante centimeter van het terrein is afgekamd. Tot ze uiteindelijk het pistool vonden. In een vuilcontainer, drie straten verder. Onderweg gedumpt.'

'Vingerafdrukken?' vroeg Witse.

Keysers deed alsof hij niets gehoord had.

'Vingerafdrukken?' vroeg Dimitri geïrriteerd.

'Helaas niet,' zei Keysers. 'Maar ik ben eens... enfin, Ilse en ik hebben de koppen bij elkaar gestoken. Waarom heeft de dader zijn pistool in de vuilcontainer gegooid? Omdat hij dacht dat die container opgehaald zou worden, en dan zou geen kat dat pistool nog kunnen terugvinden. Slim gedacht: normaal zou dat 's anderendaags ook gebeurd zijn. Maar de dader had pech. De vuilkar staakte. Ze komen pas volgende maandag langs. Begrijpen jullie waar ik heen wil?'

'Je wil een visje uitgooien!' zei Witse. 'Als Albain hoort dat het wapen er nog altijd ligt, en dat wij het zoeken, dan zal hij het zeker willen ophalen.'

'Niemand weet dat we dat wapen al hebben,' zei Vandecasteele. 'We steken het terug in de vuilcontainer, en als iemand het komt ophalen: knip.'

'Maar hoe laten we dat aan Albain weten?' vroeg Dimitri. 'We weten niet waar hij is.'

'Ik zeg het tegen Jeannine en binnen het uur weet hij het,' glunderde Witse.

'Jij zegt niets tegen Jeannine!' donderde Keysers. 'Je belt haar niet, je schrijft haar niet en je gaat al zeker niet bij haar langs. Godverdomme Witse, wil je mij en Doris mee de afgrond intrekken? Als je kapot wil, spring dan, maar spring alleen!'

'Mannen!' probeerde Vandecasteele boven het geroep van Keysers uit te komen. Die draaide zich om en verbeet zijn razernij.

'Dimitri zal Jeannine bellen,' zei Vandecasteele. 'Ze heeft hem al eens gezien, en ze weet dat hij een goede vriend is van Witse. Bovendien is Dimitri een lieve jongen aan wie ik al mijn geheimen zou bekennen.'

Dat zei ze om de sfeer wat luchtiger te maken. Het werkte: Dimitri begon te blozen en iedereen lachte. Zelfs Witse grijnsde een beetje.

Paul Keysers was de enige die niet lachte. 'Dat is dan geregeld,' zei hij. 'Dan ga ik nu kijken hoe het met mijn vrouw gesteld is. En als ik de klootzak vindt die die foto's heeft genomen, dan draai ik alle onopgeloste moordzaken van de laatste vijftien jaar in zijn nek. Hij mag al naar alibi's beginnen zoeken.'

25

Dimitri had Jeannine na de vergadering met Keysers gebeld om te zeggen dat ze het moordwapen bijna gevonden hadden. 'Als zijn vingerafdrukken op dat wapen staan... Wat zeg ik? Het kleinste spoor van zweet op dat pistool, een microgram lichaamsvocht of één haartje van zijn hand is voor ons al voldoende om te weten wie met dat pistool geschoten heeft. En dan hangt hij...' Jeannine had Dimitri uitgescholden op een manier die Witse had doen glimlachen. (Wat een temperament... Waarom kozen zulke vrouwen voor onbenullen als Albain?) Maar amper vijf minuten later hing ze al aan de lijn met Albain, zich onbewust van het feit dat haar telefoon werd afgetapt. Albain had nerveus geklonken toen Jeannine hem vertelde over het pistool. Witse wist bijna honderd procent zeker dat hij die avond naar de container zou gaan.

En daar hadden Keysers, Dimitri en enkele van de Brusselse mannetjes hun hinderlaag gespannen. Ze hadden het pistool weer in de vuilcontainer gelegd en wachtten geduldig in hun auto's tot Albain zou komen. Van Deun en Dams zaten nog steeds voor het schoonheidssalon van Jeannine, voor het geval dat Albain eerst daar zou opduiken.

Alleen Witse deed niet mee. Zijn hele team zat in Brussel, behalve hij. Hij had naar huis kunnen gaan, televisie kijken, een nieuwe les lezen in zijn geluksboek, maar daar had hij geen zin in in. Hij zat alleen op kantoor en luisterde naar de scanner, die hij had ingesteld om de gesprekken van het team in Brussel te kunnen ontvangen.

Witse had het dossier van Roel Maenhout voor zich liggen. Dat was het enige element in het verhaal waar nog geen begin van een oplossing voor bestond. Albain zou wel snel ingerekend worden, maar waar was de jongen naartoe? Was hij gewoon bang geworden na zijn ondervraging en was hij weggelopen? Dan zou hij toch iets hebben laten weten aan zijn moeder? Zou de familie Fonteyne wraak hebben genomen? Dat geloofde Witse niet. Patricia en Tigla waren lieve vrouwen, en Wilfried Offermans een slappe yup die te laf was om het recht in eigen handen te nemen. Vragen, vragen... Witse tuurde zich suf op de pv's.

Dimitri, ondertussen, zat naast Keysers in de auto. De Brusselse hoofdcommissaris bedoelde het allicht als een compliment dat hij de jongen die avond tot zijn partner maakte, maar voor Dimitri voelde het als verraad. Dit was de man die zijn chef diep ongelukkig gemaakt had. Dit was een hoofdcommissaris die, achter de rug van een van zijn medewerkers, met diens vrouw aan de haal was gegaan. Dimitri probeerde zo ver mogelijk van Keysers te zitten.

'En? Kun je het wat uithouden met zo'n halvegare?' vroeg Keysers.

Dimitri fronste maar antwoordde niet.

'Ik bedoel Witse,' zei Keysers overbodig. 'Blij dat we daar vanaf zijn.'

Hij installeerde zich behaaglijker.

'Als je het ver wil schoppen bij de politie, dan zou ik hem niet te veel als voorbeeld nemen. Ik zal je eens een paar stoten vertellen, zodat je gewaarschuwd bent.'

'Liever niet,' zei Dimitri.

Keysers keek verwonderd opzij. Dimitri staarde hem kil aan. Keysers glimlachte.

'Je zult later wel merken dat ik gelijk heb. Ik hoop alleen dat het tegen dan nog niet te laat is. De politie heeft talent nodig.'

De zon was al onder en in de kantoren van de Federale Politie van Halle hing een onwezenlijke stilte. Ergens zoemde een computerscherm dat niet was afgezet. Een kastdeur klepperde. 'Niet slotvast afgesloten,' dacht Witse met een bittere glimlach.

De telefoon verbrak de stilte. Hoewel de toestellen op kantoor slechts een discreet tuut-tuut-geluid maakten, schrok Witse. Het geluid weergalmde in de lege kantoren.

Zou hij opnemen? De kans was groot dat het een grapjas was, of iemand met een onbenullig probleem. Echt ernstige gevallen belden naar de 101. De anderen hoorden maar te weten dat de kantoren 's nachts gesloten waren.

De telefoon bleef tuten. Witse bleef hem negeren. Het knagende gevoel in zijn maag werd sterker.

Er begon een tweede telefoon te rinkelen.

Na drie minuten hield Witse het niet meer uit. Hij nam een recordertje en plugde het in de telefoon. Daarna nam hij op en riep: 'Weet je dan niet dat wij gesloten zijn 's nachts?'

'Tssss, Witse,' zei een kalme, spottende stem aan de andere kant van de lijn. 'Wat doe jij opgefokt. En je hoeft niet eens te werken vanavond.'

Witse zweeg. Zijn hersens werkten aan volle kracht. Hij moest dit gesprek zien te rekken en hints verzamelen die hem naar de man zouden leiden.

'Waarom ga je niet naar huis, Witse? Lees nog wat in je boek. Hoe heet het ook weer? *De 25 stappen naar het geluk?*'

'Heb jij dat boek ook?' vroeg Witse.

'Ik zet mijn eigen stappen naar het geluk,' zei de man. 'Misschien dat ik daar ooit eens een boek over schrijf.'

'En wat zou daar dan instaan?'

De man grinnikte.

'Elke dode is een stap naar het geluk, Witse. Een man die doodt voor de goede zaak, verdient zijn hemel op aarde.'

'Voor welke goede zaak heb je Matthieu Delcroix vermoord?'

'Witse... Weet je dat zelf niet? Waarom wilden jullie hem oppakken? Voor hetzelfde, toch?'

'En Flor Fonteyne?' gokte Witse. 'Heb je die ook vermoord?'

'Zo'n oplichter... Rijk worden met andermans uitvinding. Zeg me niet dat dat geen straf verdient.'

'Maar heb jij hem vermoord?'

'Waarom hecht jij zoveel belang aan wie iets gedaan heeft, Witse? Er zijn verschillende mensen die Flor Fonteyne dood wilden. Een van hen logeert hier bij mij. Hele lieve jongen. Heeft hij de moord gepleegd? Heb ik het gedaan? Nog iemand anders? Wat maakt het uit? Wij zijn speelballen van onze en andermans verlangens.'

'Is Roel Maenhout bij jou?'

'Maak je geen zorgen, Witse. Je weet toch wie de moord gepleegd heeft? Je collega's wachten hem op. Nog even, en de zaak is opgelost.'

'Niet als jij me nu vertelt wie de echte dader is.'

'Alleen arme Witse mocht niet mee,' ging de man verder, zonder op de vraag in te gaan. 'Omdat ik anders nieuwe fotootjes in de krant zet. Mooie foto's, niet, Witse?'

'Is Roel Maenhout bij jou?'

'Straks heb je je moordenaar, Witse. Ik stel voor dat je de zaak dan klasseert. Dan hou ik mijn foto's in mijn plakboek. Voor later, als we elkaar weerzien.'

En Zilvervis legde in.

Witse keek koortsachtig om zich heen. Zijn handen woelden door de stukken in het dossier. Hij had die stem ergens anders gehoord. Nog niet zo lang geleden. Tijdens dit onderzoek, dat wist hij zeker.

Hij zou Keysers moeten bellen. Hun plan was uitgelekt. Alhoewel... Als hij belde, dan zou hij moeten vertellen dat hij al dagen boodschappen kreeg van Zilvervis, en dat hij die niet gerapporteerd had. Bovendien: het kon ook geen kwaad dat Keysers en zijn bende daar zaten. Wie weet wie er dat pistool kwam ophalen?

Roel Maenhout volgde het telefoongesprek. De man hield hem met een hand onder schot, en hield met zijn andere zijn gsm tegen zijn oor. Hij keek Roel het hele gesprek strak aan, met een glimlach om de lippen. Hij genoot van zijn macht.

Maar dan maakte hij een fout. Roel kon het zelf nauwelijks geloven. Na het gesprek stak de Zilvervis zijn gsm in zijn jaszak, rommelde wat in enkele kasten, deed zijn jas uit en hing hem aan de haak, waarna hij de kamer verliet om naar het toilet te gaan. Hij was de telefoon vergeten!

Een minuut lang vocht Roel tegen zijn eigen angst en lafheid. De man had dan wel zijn telefoon laten rondslingeren, het pistool had hij nog altijd bij zich. Wat als hij terugkwam van het toilet en Roel zag telefoneren?

Na die minuut kwam hij in actie. Het was zijn enige kans, en hij had al kostbare tijd laten verloren gaan door zo te aarzelen. Dus dook Roel naar de jas, rommelde in de zakken tot hij het piepkleine mobieltje vond, en zocht naar de knop die de laatstgebelde nummers in beeld bracht.

Hij hoorde de man het toilet doortrekken.

Gevonden! Roel drukte op 'bellen' en rende tegelijkertijd naar de keuken. De telefoon ging over.

De man morrelde nog wat aan zijn broek en stapte de slaapkamer weer binnen.

'Schatje, waar ben je?' riep hij.

Witse liet de telefoon weer eindeloos overgaan. Wat nu weer? Werd hij nog niet lang genoeg gekweld?

Het zachte tuut-tuut werkte op zijn zenuwen. Waarom hadden ze geen antwoordapparaat?

Maar goed, misschien kon hij uit een nieuw gesprek nieuwe informatie halen, die hem naar de Zilvervis zou leiden.

De man koerde vrolijk Roels naam. Roel baadde in het zweet. Waarom nam Witse niet op? Het was zijn enige kans!

Eindelijk hoorde Roel de stem van Witse.

'Wat moet je nu weer?'

'Witse, ik ben het, Roel Maenhout,' fluisterde hij, doodsbang dat de man hem zou horen. 'Kom me alsjeblief halen. Hij gaat me vermoorden.'

Witse vroeg waar hij was, Roel siste het adres en smeekte God of wie hem ook kon helpen dat Witse het goed verstaan had. Daarna klikte hij de gsm toe en liet het ding in zijn broekzak glijden.

'Hier ben ik!' koerde hij terug.

De man verscheen in het deurgat. Het pistool lag nonchalant in zijn hand.

'Ik miste je al,' glimlachte hij.

Witse was in zijn auto gesprongen en reed met onverantwoorde snelheid naar Brussel. De angstige stem van Roel Maenhout spookte door zijn hoofd. Op zijn schoot lag de foto van de man die bij de stem hoorde. Hij wist het weer. Hij wist wie de Zilvervis was. Maar het maakte niet uit. Het ging niet meer om zijn eigen reputatie of die van Doris, hij moest nu in de eerste plaats de jongen redden.

Met gierende banden reed hij een kwartier later de straat in die Roel had genoemd. Hij hoopte maar dat hij het adres juist had verstaan.

De man rolde zijn dikke lichaam van Roel af, die bewegingloos bleef liggen. Hij bedwong zijn tranen en bad dat Witse op tijd zou komen, dat de man een hartaanval zou krijgen, dat hij de gelegenheid zou krijgen om de gsm ongezien terug te steken, dat de wereld zou vergaan vooraleer hij dit nog eens diende te ondergaan.

De man streelde de schouderbladen van Roel.

'Ben je moe, lieverd? Heb ik je zo uitgeput? Slaap dan maar wat. Zo dadelijk eten we oesters, en daarna hazenrug met veenbessen.'

Op dat moment begon zijn gsm te rinkelen.

Witse sprong uit zijn wagen en rende naar de deur van het huis.

'Ogenblikje, lieverd. Dit telefoontje moet ik even beantwoorden.'

De man stond op en liep naar zijn jas aan het haakje. Roel lag verstijfd op het bed. Zijn broek, met de gsm erin, lag in een hoopje aan het voeteneind van het bed. Het was onmogelijk om het rinkelende ding ongemerkt uit de broekzak te halen. Binnen enkele seconden was het voorbij.

'Ik dacht toch dat ik mijn telefoon hier had gestoken?' mompelde de man, terwijl hij in alle zakken van zijn jas voelde. 'Lieverd, heb jij mijn telefoon gezien?' riep hij.

De gsm hield op met rinkelen. Roel slaakte een zucht. De matras was klam van zijn zweet. Hij duwde zich overeind, liet zich van het bed glijden en liep zo nonchalant mogelijk naar zijn kleren.

'Waar zou ik die gezien hebben?' zei hij, toen de man bleef staren. Hij deed zijn onderbroek aan, zijn T-shirt en stak zijn rechterbeen in de rechterpijp van zijn broek.

Toen begon de gsm weer te rinkelen.

Witse drukte zich tegen de buitenmuur en schoof naar het raam. Hij loerde naar binnen. Het was er donker. Veel rommel. Geen beweging. Hij zette enkele passen achteruit en keek naar boven. Door het raam op de eerste verdieping scheen licht.

Wat zou hij doen? Meteen binnendringen, of eerst bellen? Wat als hij het adres verkeerd had verstaan? Misschien kon hij erop rekenen dat de Zilvervis hem niet verwachtte. Als hij aanbelde en hij deed gewoon open, dan bespaarde dat een hoop spanning en werk.

Roel kwam snel tot de conclusie dat hij zich in de slechtst denkbare situatie bevond. Niet alleen stond de man tussen hem en de enige deur, zijn broek hing tevens om zijn enkels, waardoor hij enkel al huppend zou kunnen vluchten.

De man nam zijn pistool en richtte het op Roel. IJzig kalm zei hij: 'Lieverd, zou je me m'n telefoon willen geven? Ik denk dat ik hem in je broek vergeten ben.'

Misschien, dacht Witse, moet ik versterking oproepen. Of Keysers op zijn minst laten weten dat ik hier ben. Stel dat ik niet meer terugkom... Nee, niet die verdommese Keysers. Die zou alleen maar moord en brand schreeuwen. Dimitri. En niet bellen, want die zit waarschijnlijk naast Keysers. Ik stuur hem wel een sms'je.

'He Franky!' lachte de man. 'Wat is er? Krijg je de krant vol?'

Hij hield de gsm met zijn linkerhand tegen zijn oor gedrukt. Met zijn rechter hield hij het pistool op Roel gericht.

'Nee, ik kan niet mee vanavond,' zei hij. 'Ik heb bezoek. Maar ik heb nog een mooi verhaal voor Bladluis en Persmuskiet. Ik vertel het je morgen.'

Hij luisterde en lachte. Niets wees erop dat hij gestresst was, er waren alleen de zweetkringen onder zijn oksels, maar die had hij altijd.

'Het gaat om Witse... Witse en perversiteiten... Precies Smegghe, we hebben hem. Nu is hij kapot.'

Giorgio Goossens grijnsde vettig.

'Nee, nee, sorry, ik kan echt niet vanavond, ook niet om dit te vieren. Morgen misschien.'

Op dat moment ging de bel. Goossens verstijfde even, maar hervond gauw zijn cool.

'Hoor je het, Franky? De bel gaat, mijn bezoek is er. Ik moet opleggen. Ik zie je morgen.'

Hij knipte zijn gsm uit, stak het ding in zijn broekzak en liep dreigend tot bij Roel.

'Wie is dat?'

Sidderend piepte Roel dat hij het niet wist.

'Heb jij met Witse gebeld?'

Roel huilde van niet. De man duwde de loop van zijn pistool in Roels mond.

'Ik vrees dat het geen haas met veenbessen wordt voor jou vanavond. Ik denk dat jij het haasje bént.'

Tevreden monkelend haalde Goossens de boeien van onder het bed en klonk Roel aan de bedstijl. Daarna deed hij het licht uit en liep naar het raam, om verborgen in de duisternis te kijken wie er buiten stond.

'Godverdomme,' vloekte hij. Hij draaide zich om naar Roel en siste: 'Je denkt toch niet dat die flik tegen mij opkan?'

Daarop rende hij de trap af, naar de kelder, waar hij met een schot de elektriciteitskast in een regen van vonken deed exploderen. Het licht viel uit.

Een schot! Witse liet de bel los en gooide zich met zijn volle gewicht tegen de deur. Eigenlijk had hij versterking nodig, maar daar kon hij nu niet meer op wachten. Hij gooide zich nog eens tegen de deur. Hij stampte ertegen. Daarna schoot hij op het slot. Met een klap vloog ze open.

Een duffe walm sloeg hem in het gezicht. Dit was een huis waar al lang geen raam meer had opengestaan, en waar de waterleidingen dringend nagekeken dienden te worden. Overal hoorde hij water druppelen.

Het was aardedonker. Witse tastte naar de lichtschakelaar. Hij vond hem, maar het ding reageerde niet. De elektriciteit was afgesloten. En in de straat was het al evenmin erg licht. Door de openstaande deur kwam slechts een zeer vaag schijnsel binnen, dat uitdoofde naarmate Witse verder de woning binnendrong.

'Roel?!' riep Witse.

Zijn voet botste tegen iets hards aan, dat een hol geluid maakte. Een trap. Het licht dat Witse buiten had gezien, brandde op de eerste verdieping. Hij zou dus naar boven moeten. Maar een trap was een onveilige plek – een moordenaar kon hem boven opwachten en makkelijk neerschieten. Witse aarzelde.

'Roel!' riep hij nogmaals.

'O Witse...'

Verbeeldde hij het zich? Een stem leek hem te roepen.

'Witse... Witse o Witse...'

Het was een zachte, plagerige stem, die hij niet kon lokaliseren. Ze leek van overal te komen: uit de kelder, van op de trap, van achter hem. Ze vermengde zich met het druppelen van het water.

Hij zette een eerste pas de trap op.

'Zou je dat wel doen, Witse?'

Hij stopte.

'Wie is dit?'

'Je weet best wie ik ben.'

Dat klopte. Hij herkende de stem. Hij klonk holler dan door de telefoon, metaliger, alsof hij door een buis sprak, maar het was de Zilvervis, de dikke dronken lapzwans uit café The Funky Chicken. Witse vermoedde dat hij ergens toegang had tot een leiding van metalen buizen in het huis, en dat zijn stem daardoor overal weergalmde.

'Je stelt me teleur, Witse,' zei de stem. 'Keer op keer wijs ik je op onze afspraak, maar je trekt je er niets van aan. Heb je vorig jaar je les niet geleerd?'

Witse drukte zijn oor tegen de muur, in de hoop dat hij daar zou kunnen horen waar het geluid vandaan kwam. Zijn wang raakte iets koels. Witse tastte: een verroeste buis. Hij drukte er zijn oor tegen.

'Ik zie je, Witse,' zei de stem.

Het kwam van pal onder hem. Witse nam zijn pistool en schoot in het wilde weg.

Het enige antwoord was een zacht, blikkerig lachen.

Op datzelfde ogenblik biepte de gsm van Dimitri. Hij schrok. In slaap gevallen was hij niet, maar het lange, vruchteloze wachten naast een droogkloot als Keysers had hem wel suf gemaakt. Dimitri nam zijn gsm en riep het bericht op.

'Godverdomme Witse!' vloekte hij.

Hij liet het berichtje aan Keysers zien. Die sperde zijn ogen wijdopen en liet een nog ergere vloek ontsnappen.

'Is dat hoe je vrienden behandelt, Witse?' vroeg de stem. 'Ik zou je zo kunnen neerknallen. Weet je waarom ik het niet doe?'

Omdat het niet waar is, dacht Goossens. Hij kon Witse niet eens zien, laat staan op hem mikken. Hij zat in de kelder, vlak onder de trap, op de plek waar de mond van een ongebruikte waterleiding uit de muur stak. Hij wist waar Witse stond omdat hij zijn voetstappen boven zich hoorde. Maar dat wist Witse niet.

'Omdat ik je eerst wil vertellen wat er morgen in de krant staat,' lachte hij. 'Ik wou dat je het zelf had kunnen zien, maar ik vrees dat je daar na vanavond niet meer toe in staat zult zijn.'

Witse schoot weer. De kogel boorde zich in het hout, recht boven Goossens' hoofd. Die schrok en liet een kreetje ontsnappen. Hij vervloekte zich in stilte. De angstkreet had door het buizenstelsel weerklonken.

Witse glimlachte en schoot opnieuw. Weer die onwillekeurige hik. Het kwam van onder hem, dat hoorde hij duidelijk in de buizen. Witse liep de trap weer af en zocht naar de ingang naar de kelder.

Die was waar hij meestal was in dit soort oude huizen: aan de achterkant van de trap. Witse wrikte het kleine deurtje open en loste meteen een schot. Hij hoorde niets.

Hij duwde de deur verder open en stak zijn hoofd om de hoek. Tot zijn opluchting was het in de kelder minder donker dan in de rest van het huis. Beneden brandde ergens licht. Het zorgde ervoor dat Witse kon zien dat de trap alvast veilig was.

Hij daalde snel af en drukte zich beneden tegen de muur. Hij loerde om de hoek. De kelder leek leeg.

Voorzichtig draaide hij de hoek om. Hij richtte zijn pistool op alle hoeken van de kelder. Nergens enige beweging.

Toen zag hij waar het licht vandaan kwam. Tegen een muur stond een tafel, en daarboven hing een sterke zaklamp op batterijen. Witse wandelde naar de tafel.

Zijn hart begon in zijn keel te bonken toen hij zag wat

er uitgestald lag. Eerst zag hij de foto's van Doris en Keysers. Ze waren genomen vorig jaar in het park, net voor hij Albain had neergeschoten. Onbarmhartig scherp toonden ze hoe zijn vrouw en zijn chef passioneel aan het zoenen waren, hoe zijn hand onder haar jurkje kroop en hoe zij zijn borst streelde. Het duurde even voor Witse besefte waar hij was en dat hij zich niet mocht laten afleiden van zijn jacht op de Zilvervis. Die had die foto's daar net neergelegd om hem emotioneel van de kaart te brengen.

Hij veegde de foto's van tafel. Daardoor zag hij wat er onder lag. Andere foto's, nu van Witse zelf, en van Roel, en van Witse samen met Roel. Er was er één bij waarop Witse Roel leek te omhelzen, al kwam dat enkel door de hoek waarin de foto was genomen. En kijk, één waarin Witse hem leek te gaan kussen – hij tuitte gewoon zijn lippen tijdens een gesprek.

Er lagen volgetikte vellen papier bij.

'Waarom ik Witse de Waanzinnige verliet.'
Doris Witse vertelt exclusief over de echte redenen waarom haar huwelijk met de Brusselse cowboy stukliep...

'Als vrouw voelde ik me vernederd, als burger was ik razend.'

Commissaris pedofiel!
Spilfiguur in internationale netwerken?
Waar is deze jongen naartoe?
Waarom zweeg de politiek?

Witse voelde woede opzetten. Niet aan toegeven, bezwoer hij zichzelf. Niet aan toegeven... Dat is precies wat hij wil.

Waar was de man naartoe? Hij was er bijna zeker van dat hij hier was geweest. Of hadden zijn oren hem toch bedrogen?

Witse speurde de kelder rond. Hij dacht dat hij kon ruiken dat er iemand was... of pas geweest was. Een zurige zweetgeur, de duffe walm van lang niet gewassen kleren...

Daar zag Witse het uiteinde van de waterleiding, waarin de Zilvervis gesproken had. En daarnaast – hij had er eerst over gekeken – een kleine deur, meer een luik, die naar een tweede kamer in de kelder leidde. Witse wurmde zich erdoor en kwam terecht in een klein kamertje, van waaruit een trap naar boven ging. Dus langs hier was hij ontkomen...

'Witseeeee!'

De kreet kwam van boven. Het was de stem van Roel Maenhout, Witse herkende ze meteen. Met zijn pistool in aanslag rende hij de trap op. Hij kwam opnieuw in de gang terecht. Roel Maenhout krijste nogmaals. Zonder zich te bekommeren om zijn dekking, nam Witse de trap naar de bovenverdiepingen.

Hij vond Roel in de slaapkamer. De jongen zat met zijn enkel aan de bedstijl geklonken. Hij lag huilend en bevend op de grond. Witse kon hem zien dankzij het zwakke schijnsel van een straatlantaarn, de enige in de straat die werkte.

'Witse,' zuchtte Roel, toen hij de commissaris herkende. 'Witse, pas op.'

'Hoe ontroerend,' zuchtte een stem. 'De corrupte commissaris en zijn pedofiele liefje. De Federale Politie neemt zich het lot van de Brusselse straathoertjes wel erg ter harte...'

In het deurgat stond Giorgio Goossens. Hij blokkeerde

met zijn zware lichaam de enige ontsnappingsroute. In zijn hand lag een halfautomatisch pistool. Hij richtte het op Witse.

'Het is niet erg beleefd om gewapend bij iemand op bezoek te komen, commissaris,' zei hij. 'En dan nog zo onaangekondigd. Ik heb niet eens kunnen opruimen. Waarom laat u uw pistool niet vallen?'

Hij richtte zijn wapen op Roel.

'Laat je pistool vallen of ik knal zijn kop eraf.'

Witse legde zijn pistool op de grond. De man maakte een beweging met zijn hoofd. Witse schoof het wapen in zijn richting. Goossens raapte het op zonder dat hij zijn blik en zijn pistool van Witse afwendde.

'Wat zou er met dat hoertje gebeurd zijn, met wie Witse de Waanzinnige zo intiem op de foto staat?' zei hij pesterig, terwijl hij zijn pistool speels op Roel richtte en 'paw, paw' fluisterde. 'Zijn moeder is de wanhoop nabij. Ze heeft al dagen niets meer van hem vernomen. Plots staat hij in de krant, zoenend met Witse. Dat ze uit de pers moet vernemen dat haar eigen zoon een hoer is!'

Roel rukte woedend aan zijn enkelboei. Goossens danste weg.

'Wie schetst de verbijstering van het grote publiek, als de jongen uiteindelijk wordt gevonden – doorzeefd met kogels, met naast hem het lichaam van zijn minnaar, de doorgeslagen commissaris? Wist de jongen te veel? Vreesde de commissaris het uitlekken van zijn perverse gedrag? Wie kan de burger nog vertrouwen, als de politie dergelijke figuren de hand boven het hoofd houdt?'

Witse keek schichtig de kamer rond, op zoek naar een uitweg.

'Gelukkig zijn er nog de media,' grijnsde Goossens. 'De

enige echte bondgenoten van de kleine man. Altijd op zoek naar de waarheid. De echte waarheid. Onafhankelijk. Objectief. Kritisch. Tegendraads.'

Grijnzend richtte hij zijn pistool op Witse.

'Commissaris, ik beloof het u: dit is een verhaal waar iedereen van zal smullen. Mag ik u, in naam ook van mijn collega Frank Smegghe, hiervoor hartelijk danken? U was een dankbaar onderwerp. Maar u kent de uitdrukking van onze Engelse vrienden: *if you gotta go, go with a bang.*'

Met die woorden zette hij zijn vinger lachend aan de trekker.

'Daar is hij.'

Paul Keysers zette zich plots meer overeind in zijn auto. De verveling had hem uitgeput, maar nu zorgde een stoot adrenaline ervoor dat hij weer klaarwakker was. Een auto draaide het braakliggende terrein op. Het licht van de koplampen sneed door de nacht. Keysers hoopte maar dat hun auto's verdekt genoeg opgesteld stonden. De auto reed tot voor de afvalcontainers. Daar stopte hij. De lichten werden gedimd. De deur zwaaide open en een donkere figuur stapte uit. Hij was groot van gestalte, dat was het enige wat Keysers op dit moment kon zien.

'Wacht tot hij het pistool gepakt heeft,' zei Keysers in zijn zender.

'Begrepen,' klonk de stem van Ilse Vandecasteele, die aan de andere kant van het terrein de figuur gadesloeg.

Keysers glunderde. Ze hadden prijs. De figuur opende de afvalcontainer en kroop er bijna helemaal in.

In het huis weerklonken twee schoten. Roel schreeuwde het uit. Het gezicht van Giorgio Goossens verstarde. Even begreep hij niet wat hem overkwam. Dan ontsnapte hem een schrille kreet van pijn. Hij loste nog een schot maar dat boorde zich in het dak. Dan viel hij op de grond en begon te kronkelen en onverstaanbare zaken te krijsen.

'Hier ben ik fier op,' zei een stem die Witse uit duizenden zou herkennen. 'In het pikdonker toch precies mikken.'

Glimlachend stapte Dimitri de kamer in.

'De volgende keer dat je gaat stappen in Brussel, vraag me dan ineens mee,' zei hij. 'Het is hier stukken leuker dan bij die droogkloot van een Keysers.'

Die droogkloot stond op datzelfde ogenblik te kijken hoe zijn mannen de figuur inrekenden, die net het pistool uit de container gevist had. Ilse Vandecasteele stond nu naast hem.

'Welwel, wat een verrassing,' glimlachte die. 'Meneer Offermans, zo laat op pad?'

'Ik zeg niks!' siste een bevende Wilfried Offermans, die zich halfslachtig verzette tegen de agenten die hem bij de armen vastgrepen.

'O maar dat is niet nodig,' zei Vandecasteele. Ze raapte het pistool op dat nog aan Offermans' voeten lag.

'Het is meer dan duidelijk voor ons.'

Dimitri had versterking meegebracht. Buiten stonden drie overvalwagens van de Brusselse politie. Er werd een ziekenwagen opgeroepen en Giorgio Goossens, die nog steeds krijste en kreunde, werd afgevoerd. Hij was geraakt in zijn onderbenen. Witse gaf opdracht aan zijn Brusselse collega om ook Goossens' collega Smegghe op te pakken. Zelf ging hij nog even naar de kelder, waar hij veiligheidshalve alle foto's en de krantenkopij meenam.

Buiten legde hij zijn arm om Dimitri en trok hem even dicht tegen zich aan. Het was niet zijn gewoonte om zo emotioneel te doen. Dimitri wist zich geen houding te geven. 'Bedankt,' zei Witse.

Roel Maenhout kwam bevend dichterbij en dankte Dimitri ook, net als Witse.

'Commissaris,' zei hij. 'Offermans.'

'Maak je geen zorgen,' zei Witse. 'Hij is net opgepakt.'

Ilse Vandecasteele had Dimitri net gebeld om hem dat te zeggen. Dimitri had zeer verbaasd gereageerd, maar Witse had enkel geknikt.

Roel zuchtte opgelucht. Daarna stapte hij in een andere ziekenwagen, die hem voor controle meenam.

Witse en Dimitri maakten zich op om naar de braakgrond te rijden, waar Keysers en Vandecasteele op hen wachtten. Net toen ze wilden vertrekken, ging er een gsm. Zowel Dimitri als Witse namen hun eigen telefoon, maar die rinkelde niet. Witse zocht verbaasd op de plaats waar het geluid vandaan kwam... en haalde na enkele seconden Goossens' gsm tevoorschijn.

'Zal ik?' vroeg hij.

Dimitri knikte.

Witse nam op, maar zorgde ervoor dat hij niets zou zeggen waardoor hij zichzelf verraadde

'Hmm,' humde hij.

'Ik heb geen tijd,' zei de stem. 'Witse is in Brussel. Ik weet niet waar, hij is niet thuis en hij is niet op kantoor. Ik ben bang dat hij naar hier op weg is. Jullie moeten meteen komen. Foto's nemen. Hem kapot maken, snap je? Hij gaat me vinden, snappen jullie dat niet? Waar blijft dat artikel van jullie dat hem kapotmaakt? Heb ik nog niet genoeg informatie gegeven?'

Witse glimlachte.
'Meer dan genoeg, Albain,' zei hij.
Hij genoot van Albains angstige reactie.
'Kijk eens naar buiten. Daar zijn je vrienden al.'
Het was de eerste keer in zijn leven dat Witse blij was om de stem van Van Deun te horen. Albain liet de telefoon vallen en sputterde nog tegen, maar werd ingerekend. Op de achtergrond hoorde Witse Jeannine huilen.

26

Witse was moe. Hij had slecht geslapen. Zenuwachtig had hij die ochtend de kranten geraadpleegd, maar niemand had geschreven over de gebeurtenissen van de nacht voordien.
Wilfried Offermans zat in verhoorkamer 1, Albain in nummer 2. Albain mocht nog even in zijn eigen vet sudderen. Offermans zou het snelst doorslaan, dacht Witse – dan kon hij ook Albain aan de galg praten.
Dat was verkeerd gegokt. Offermans zei niets. Hij zat als een hoopje ellende in elkaar gedoken op zijn stoel en raakte zelfs zijn koffie niet aan. Witse vermoedde dat het niet eens berekening was, maar dat hij gewoon geblokkeerd was. Offermans was een brave burgerman. Ambitieus en onuitstaanbaar misschien, maar geen crimineel. Hij kon zich niet voorstellen dat hij in deze situatie verzeild was geraakt. Hij ontkende het. Witse had het nog gezien.
Nadat Witse zo'n twintig minuten vruchteloos vragen

had afgevuurd, kwam Rita van het onthaal hem melden dat Tigla Fonteyne aangekomen was. Witse knikte. Hij zei Offermans niet dat zijn vrouw er was. Hij liet hem gewoon zitten en nadenken.

'Mevrouw Fonteyne,' zei Witse met een medelevende glimlach. 'Ik besef dat het voor u erg pijnlijk is.'

Tigla keek hem aan met een harde uitdrukking. 'Verontschuldigt u zich maar niet, commissaris. Ik heb het ergste al gehad. Toen u me gisteravond belde, wist ik eigenlijk al dat Wilfried papa vermoord heeft.'

Witse trok zijn wenkbrauwen op.

'Hij is opgepakt voor de moord op Matthieu Delcroix...'

'Ik besefte het toen u vroeg van waar ik Albain kende,' ging Tigla verder. 'Ik heb Wilfried en Albain samengebracht!'

'Om de villa van uw ouders te verkopen,' zei Witse.

'Veel vroeger. Al van de tweede keer dat ik bij Jeannine was om mijn nagels te laten verzorgen. Albain kwam binnen en ik dacht: dat is echt een sjieke tiep. Ik heb Jeannine gevraagd of hij geen bijverdienste had voor mijn man.'

'Heeft uw man dan geen werk?'

'Maar nee! Drie diploma's, maar nooit werk gevonden. En als hij werk had, dan werd hij na een paar maanden ontslagen. Dat frustreerde hem enorm. Bovendien hadden we een heel zware lening lopen. We hadden eigenlijk veel te groot gebouwd. Wilfried rekende erop dat mijn vader vroeg of laat toch met geld over de brug zou komen.'

'Maar dat deed uw vader niet.'

'Mijn man heeft altijd goed laten voelen dat papa maar een loodgieter was, en dat hij gestudeerd had. Papa is dat nooit vergeten. Toen hij rijk geworden was, zei hij: als we vroeger niet goed genoeg waren voor u, dan nu ook niet.'

Witse knikte. Het begon hem te dagen.

'En de welstand van uw ouders stak uw man de ogen uit. De luxe, het geld dat los in de schuif lag...'

Tigla sloeg haar ogen ten hemel.

'Hij kreeg er echt complexen van! Daar stond hij met al zijn diploma's. Hij was er niks mee!'

Ze pauzeerde even. Witse wachtte. Tigla slurpte aan haar koffie.

'En ik dacht dus: misschien kan een succesvol zakenman als Albain hem helpen. Maar toen hij af en toe eens een krot mocht verkopen, verdiende hij daar ook maar een paar honderd euro mee. Albain kwam zelf amper rond. Dat zag ik pas later...'

'Ze hadden allebei geld tekort,' zei Witse.

'De vorige keer vroeg u me of Albain voor de moord al eens bij ons thuis was geweest. Hij niet nee, maar Wilfried wel natuurlijk! Dat zag ik opeens in.'

Witse zuchtte. Hij probeerde zijn vermoeidheid te verdringen.

'We hebben nog altijd geen bewijs,' zei hij. 'Uw man was misschien jaloers, maar dat wil nog niet zeggen dat hij uw vader vermoord heeft.'

'Weet u nog dat u vorige keer over het trouwfeest begon? Ik herinnerde het me gisteren. Iedereen was aan het dansen toen papa een ander pak wilde aantrekken. Ik dacht: Wilfried kan hem wel even snel over en weer brengen. Maar ik zag Wilfried nergens en daarom is papa alleen naar huis gegaan. Plots besefte ik waarom ik Wilfried niet vond. Hij zat toen al bij mijn ouders binnen!'

Witse knikte nadenkend.

'Hebt u toevallig een foto bij u van uzelf, uw man en de kinderen?'

Tigla keek verrast, maar knikte. Ze nam haar portefeuille en haalde er een foto uit, genomen in de tuin van de villa Fonteyne.

'Hou maar,' zei ze. 'Ik wil hem nooit meer zien, ook niet op foto.'

'Dankuwel,' zei Witse. 'Ik ben zo terug.'

Hij wandelde de verhoorkamer binnen. 'Uw vrouw is hier, met uw kinderen,' zei hij.

Dat laatste was een leugen, maar dat wist Offermans niet. Voor het eerst die ochtend reageerde de man. Hij keek Witse aan met een blik die zo wanhopig was, dat hij bijna medelijden kreeg.

'Mag ik ze zien?' vroeg hij smekend.

'Ze wil u niet zien. Ze is hier om u te betichten van moord op haar vader. Dat zijn dan twee moorden.'

Witse legde de foto van het gezinnetje voor Offermans' neus. Het werkte. De man ontdooide. Zijn lip trilde.

'Kijk naar die kinderen,' zei Witse. 'Wilfried, jij bent een brave huisvader. Gemaakt om met vrouw en kinderen thuis voor tv te zitten. En toch pleeg je een koelbloedige moord op een Brusselse crimineel. Professioneel afgemaakt met twee kogels. Je vermoordt je eigen schoonvader. En je gaat ook nog eens achter Roel Maenhout aan...'

'Ik wou Roel niet vermoorden!' viel Wilfried uit.

Hij had meteen spijt van wat hij gezegd had. Witse trok zijn wenkbrauwen op. 'Nee? Waarom spreek je dan met hem af op het Fontainasplein, de dag waarop wij jullie verteld hadden dat we hem verdachten van de moord op Flor Fonteyne?'

'Ik wist niet dat het Roel was...' mompelde Offermans. 'Ik wou gewoon...'

Hij zweeg. Witse knikte.

'O... U wou gewoon... Nou, dat zullen we maar niet aan uw vrouw vertellen. Ze heeft het zo al moeilijk genoeg.'

'Waarom kwelt u mij zo?' riep Offermans plots uit. Hij veerde op. 'Wat heeft het voor zin dat ik u iets vertel? Ik draai toch voor alles op!'

'Waarom denk je dat?' vroeg Witse.

'Albain werkt toch voor de politie? Jij beschermt hem toch?'

'Zegt hij dat?'

'Is het niet waar, soms? Hij is me altijd een stap voor. Hij is altijd de slimste. Hij heeft alles opgezet en mij, stomme kloot, heeft hij het vuile werk laten opknappen. Enfin, het is mijn eigen schuld...'

Hij ging weer zitten. Witse nam ook plaats. Hij keek Offermans lang aan en zei met zijn warmste stem: 'Hoe meer je zegt, hoe minder Albain vrijuit kan gaan en hoe meer je jezelf beschermt. Misschien moet jij nu maar eens slimmer zijn dan hij.'

Dat werkte. Offermans liet de woorden tot zich doordringen. Je zag aan zijn gezicht dat hij van plan was te praten.

'Ik had tegen Albain niet over dat geld mogen beginnen,' zuchtte Offermans. 'Maar het zat me tot hier' – hij deed teken met zijn handen boven zijn hoofd – 'dat mijn schoonouders met hun geld geen blijf wisten, terwijl ik met al mijn diploma's moest krabben om rond te komen.'

'Je hebt Albain verteld dat het geld bij hen voor het rapen lag.'

'Ik bedoelde dat niet letterlijk! Ik was gewoon jaloers. Meer niet, echt niet.'

'Maar Albain nam het wel letterlijk...'

'Ik zat erin voor ik het wist! "Komaan, we doen het", zei hij. Ineens was ik een dief! Kun je je dat voorstellen? En twee minuten later een moordenaar ook! Ik was zo in paniek toen er iemand binnenkwam dat ik blind ben beginnen slaan. Ik had mijn schoonvader niet eens herkend. Ik was doodsbang! Albain zou op de uitkijk staan en waarschuwen als er iemand aankwam! Maar hij heeft geen kik gegeven.'

Hij zuchtte.

'Elke dag ben ik van plan geweest om me aan te geven. Ziek was ik er van. Als ik het verdriet van mijn vrouw zag, en dat van mijn kinderen... Maar elke keer als ik naar de politie wou stappen, zei Albain: "Geen paniek. We regelen het wel."'

'Hij had iemand gevonden die voor de dader kon doorgaan?' raadde Witse, bij wie de puzzelstukken op hun plaats vielen.

'Dan zou niemand weten dat ik die moord had gepleegd. Alleen moest die zogenaamde dader dan natuurlijk wel eerst dood zijn. Snap je het nu? Om van de eerste moord af te zijn, moest ik een tweede plegen!'

'U had kunnen weigeren.'

'Dan weet je niet hoe hij kan praten, hoe hij je iets kan laten doen dat je eigenlijk niet wil doen. Ik wou die inbraak ook niet plegen!'

'Waarom Delcroix?' vroeg Witse.

'Albain had schulden bij Delcroix. Hij kon hem niet terugbetalen. Hij zei dat ik bedankt was. Ik had zijn probleem opgelost... Hij was mij weer te slim afgeweest! En toen het wapen dreigde gevonden te worden door jullie, moest ik dat ook weer gaan zoeken. Hij heeft me gebruikt van begin tot einde! En hij zal er weer tussenuit knijpen, dat zie je zo. Hij heeft immers geen bloed aan zijn handen.'

Witse dacht lang na.

'Dat weet ik nog zo niet,' zei hij uiteindelijk. 'Ik denk dat ik eens met hem ga praten. Houdt u die foto maar. Uw vrouw wil hem niet meer.'

'Slim,' zei Witse. 'Heel slim. Vanaf de eerste telefoon naar mij heb je alles opgezet. En ik ben erin gelopen.'

Albain keek Witse verontwaardigd aan. Zelfs nu was hij zijn flamboyante manieren niet verleerd; zelfs nu probeerde hij zich eruit te praten.

'Ik heb geen bloed aan mijn handen!' zei hij. 'Ik heb geen vinger uitgestoken. In heel die zaak niet!'

'Nee, daar ben je te laf voor. Jij gebruikt andere mensen.'

'Momentje!' Albain stak zijn vinger belerend in de lucht. 'Van wie heb ik dat geleerd? "Alleen mensen op ideeën brengen Albain, nooit zelf initiatief nemen. Zie dat je op tijd weg bent als er iets strafbaars kan gebeuren." Wie heeft dat tegen mij gezegd? Jij toch zeker! Jaren heb ik zo voor jou gewerkt. Of was dat iemand anders?'

Witse moest zich bedwingen om hem niet te slaan.

'Nee, dat waren wij,' zei Witse, die trilde van woede. 'En weet je waarom? Omdat het mijn beroep is om met gluiperig uitschot zoals jij te werken, om nog groter uitschot te pakken. Dat is het systeem. En in dat systeem ben jij niet meer dan dat!'

Witse knipte met zijn vinger.

'Als jij serieuzer met mij had gewerkt, dan had dit niet moeten gebeuren,' zei Albain.

Witse ging verzitten en keek pseudogeïnteresseerd. Hij maakte een beweging met zijn handen die zei: verklaar je nader.

'Als je naar mij had geluisterd, dan was er zelfs geen inbraak geweest,' ging Albain verder. 'Ik heb naar jou gebeld om je te verwittigen dat er iets te gebeuren stond. Ik heb het je op een schoteltje aangeboden! Twee keer na mekaar. "Het interesseert me niet." Dat waren jouw woorden. En waarom? Omdat jouw vrouw met jouw baas in bed lag! Jeannine komt bij mij tenminste niets te kort.'

Hij spuwde die laatste woorden bijna in het gezicht van Witse. Witse klemde zijn stoel vast om zich te beheersen.

'Ik had het geld nodig dat jij me betaalde voor informatie, Witse. Ik leefde daarvan. Ik had schulden. Maar omdat jij toch niet omkeek, dacht ik: pff, waarom niet, ik doe mee. Zo is het gegaan!'

Er viel een lange stilte. Witse verwerkte de informatie. Het was belachelijk dat hij schuldig zou zijn aan Albains misdaden. Niettemin voelde hij zich verantwoordelijk. Hij zag Jeannine voor zich, hij herinnerde zich de momenten die hij samen met Albain en Jeannine – zelfs enkele keren met Doris erbij! – had doorgebracht. Bijna als vrienden. Hij kende Albain: ondanks zijn stoere gedrag was hij een zwak figuur. Hij had op Witse gerekend, en Witse had hem laten vallen.

Zijn schuldgevoelens maakten Witse boos. Bovendien zeurde er een vermoeden in zijn hoofd, dat hij al te lang onuitgesproken had gelaten.

'Bij wie had jij schulden, vorig jaar?'

Albain zweeg.

'Je zei net dat je schulden had, en dat je mijn geld nodig had om die te lenigen. Waren dat gokschulden, Albain?'

Albain zweeg nog altijd.

'Stond je toevallig in het krijt bij Frédéric Mailleux?'

Toen de naam viel van de Brusselse eigenaar van de goktenten, die vorig jaar vermoord was – het onderzoek waar de Zilvervis voor het eerst was opgedoken – reageerde Albain heftig. Hij sprong op, ging dan weer zitten. Hij sloeg met zijn vuisten op tafel.

'Je hoopte om je schulden terug te betalen met het geld van Flor Fonteyne,' ging Witse verder, tevreden omdat hij juist had geraden. 'Maar toen sloeg Wilfried Offermans zijn schoonvader dood. Dat was niet gepland. Nu kon je het zilver niet meteen verkopen, omdat het van een roofmoord kwam. Dus kon je Mailleux ook niet terugbetalen... Er bleef maar één uitweg over...'

Witse ging verzitten.

'Zeg me, Albain: heb je voor die moord ook iemand anders gebruikt? Of heb je daar wel je verantwoordelijkheid genomen?'

Albain keek naar zijn schoenen en zei niets.

'Die journalist misschien? Bladluis, of was het Persmuskiet? Heeft hij jouw vuile klusje opgeknapt?'

'Giorgio heeft er niets mee te maken,' mompelde Albain. 'Die heb ik alleen aan wat informatie geholpen.'

'Daar ben je goed in, in informatie verkopen,' zei Witse. 'Betaalden ze evenveel als wij? Ik had eraan moeten denken dat jij foto's had van mij en Doris.'

'Ik kan er toch ook niet aan doen dat die gast zo zot is als een deur! En dat hij jou begon te bedreigen? Hij leek een hele gewone journalist!'

'Maar het kwam jou wel uit, dat hij me bedreigde. Het leidde de aandacht af van jou. Het zorgde ervoor dat het onderzoek naar de moord op Mailleux stilviel. Het werkte zo goed, die hulp van de pers, dat je het hele nummertje zelfs nog eens hebt overgedaan. Dat je mij en Doris daardoor in problemen bracht, wat maakte het uit?'

'Godverdomme Witse, toen ik hoorde wat hij van plan was met jou en Doris en Keysers, ben ik onmiddellijk naar het Josaphatpark gekomen. Ik was maar net op tijd! Ik heb me voor Doris geworpen! Anders had je haar vermoord! En Keysers erbij! Had je dat op je geweten willen hebben? Wees daar tenminste dankbaar voor.'

Witse wandelde op Albain af en plantte zijn handen op tafel. Hij bracht zijn gezicht tot vlak voor dat van Albain.

'Mijn dankbaarheid kent geen grenzen,' siste hij. 'Ik ben je zo dankbaar, dat ik je nooit meer laat gaan. Nooit, maar dan ook nooit meer...'

27

Dimitri kwam Witse al tegemoet, toen die tevreden het kantoor van Halle uitstapte. Achter hem werden Albain en Wilfried Offermans weggeleid naar de gevangenis. Dimitri lachte en omhelsde zijn baas.

'Ik vind dat we wel een Kriek verdiend hebben,' zei hij. 'Annie trakteert.'

'Is die uit het ziekenhuis?'

'Net ontslagen. Ze geeft een feestje.'

In de auto vertelde Dimitri over Giorgio Goossens. Terwijl Witse Albain en Offermans verhoorde, was Dimitri naar het ziekenhuis gegaan om de man die hij de avond tevoren in de benen had geschoten, aan de tand te voelen. Het verhaal was treurig. Zijn hele carrière al voelde Goossens zich minderwaardig ten opzichte van zijn partner Franky Smegghe. Smegghe kwam altijd met de goede ideeën, Smegghe zorgde voor de schandalen, Smegghe schreef alle stukken. Goossens dronk en deed het vuile werk, meestal getuigen bedreigen en intimideren, tot ze hun verhaal aan hen deden. Zijn privé-leven was een puinhoop. Smegghe was de enige vriend die hij had. Tot hij op een dag Albain had ontmoet. Die leverde hem verhalen, heet van de naald, recht uit het Brusselse criminele milieu. Goossens was zich ervan bewust dat Albain hem gebruikte om zelf buiten schot te blijven, maar voor wat hoorde wat. Goossens hielp hem graag, als Albain maar verhalen bleef leveren. Toen Goossens zich op Witse stortte, zag hij zijn kans om twee slagen te slaan: een verhalenreeks maken waar Smegghe enkel vol bewondering naar kon kijken, en Albains kwelduivel voor eeuwig uitschakelen. Op dat moment verliet Goossens' sowieso al wankele mentale stabiliteit hem. Hij ging steeds meer op in zijn rol van inquisiteur, en verzon uiteindelijk het personage van de Zilvervis om Witse aan te zetten tot onbezonnen daden, die op hun beurt weer stof konden leveren voor nieuwe verhalen...

Witse grijnsde tevreden.

'Zie je wel: een sukkelaar,' zei hij. 'Een gewone sukkelaar, die dàcht dat hij in een film speelde.'

Voor Dimitri hem oppikte, had Witse de belangrijkste kranten van Vlaanderen opgebeld. Hij had hen uitgelegd wat er met Smegghe en Goossens gebeurd was. Het schandaal van de corrupte, perverse journalisten zou de volgende dag op alle voorpagina's staan. Op aandringen van de persdienst van de Federale Politie had hij ook afgesproken dat hij een persconferentie zou geven, samen met Keysers, om te tonen dat er tussen hen geen vuiltje aan de lucht was. Ze zouden dan alle details geven over de turbulente avond. Mensen die de media kenden, verzekerden hem dat hij daarna gerehabiliteerd zou worden, en zelfs weer in Brussel zou kunnen werken. Al dacht hij niet dat hij daar nog zin in had.

Annie glunderde toen Witse en Dimitri haar huisje binnenwandelden. Ook Walter straalde en leek opgelucht. 'Wacht wacht!' riep hij, toen de twee agenten iedereen gezoend hadden. 'Tijd voor mijn gedicht.'

Onder aanmoediging van allen declameerde hij:

Wel allemachtig
Ze is er weer gezond en wel
En volgend jaar klinkt hier de bel
Want dan wordt ons Annie tachtig!

Iedereen applaudisseerde en juichte, in de geest van het rijmpje: 'Prachtig! Prachtig!' Witse liep naar Annie en omhelsde haar krachtig.

'Ik ben echt gelukkig dat je weer bij ons bent,' zei hij. 'Ik zou je niet kunnen missen.'

'Dan had je wel wat meer op bezoek mogen komen,' snibte Annie half lachend. 'Gelukkig dat die lieve mens van de krant elke dag belde.'

Witse keek haar onderzoekend aan.

'Heeft hij jou dan nooit wat gezegd?' zei Annie verwonderd. 'Een man van de krant, die een mooie pagina aan het schrijven was over de beste politieman van Halle. Hij wou van alles weten over je, of je een vrouwtje had en hoe je huis er vanbinnen uitzag en zo. Hij maakte er zijn werk van hoor. Elke dag heeft hij bijna gebeld. En dan ineens niets meer van zich laten horen. Dat vond ik niet zo proper...'

Witse en Dimitri keken elkaar aan. Dimitri grijnsde scheef.

'Zo zijn ze Annie, de journalisten,' zei hij. 'Ze doen vriendelijk en je denkt dat ze je beste vriend zijn, maar ze laten je vallen als ze je niet meer nodig hebben.'

Annie knikte.

'Spijtig... Het had mooi kunnen worden, in de krant. Want geef toe, over onze Witse kunnen we veel mooie verhalen vertellen.'

'Daar drinken we op!' juichte Walter.

Annie, die niet mocht drinken, zette het glas enthousiast aan haar lippen. Witse volgde haar voorbeeld.

Annie wenkte hem.

'Ik heb nog iets voor je,' zei ze. Glimlachend stak ze hem een papiertje in zijn handen. Witse vouwde het open. Er stond: 'Kathleen Antonis,' en een gsm-nummer.

'Dit weekend heeft ze vrij,' zei Annie. Ze knipoogde.

Daarna probeerde Annie voor de elvendertigste keer de geschiedenis van de naam Kriek Lambiek te vertellen, en trachtte Walter Witse voor de even zoveelste keer te overtuigen om mee te gaan kaatsen met de wijkvereniging. Lachend onderging Witse al hun pogingen. Door het raam zag hij de Sijsjeslaan en aan de overkant ervan het huis waar hij nu een jaar woonde. Boven de straat scheen een waterig zonnetje, en achter de huizen lag het prachtige, weidse Pajottenland. En Witse dacht: ik ben gelukkig... Ik ben echt gelukkig... Ik ben een magneet, een grote magneet die geluk aantrekt. Niemand pakt me dat gevoel nog af.

van Barbara Hofmann
verscheen bij Houtekiet

Stille Waters

ISBN 90 5240 634 0